湯川

張麗嫻／譯

東野圭吾

たんていガリレオ

偵探伽利略

偵探伽利略

Contents

由不屈的堅持所淬煉出的奇蹟

總導讀　林依俐

如果你問我，東野圭吾是位什麼樣的作家？

我會回答你，他是位不幸的作家。

你一定會覺得奇怪，光是以《嫌疑犯X的獻身》（二〇〇五）一書，便幾乎囊括了二〇〇六年日本推理文學相關獎項，在日本的銷售量更打破五十萬大關的「暢銷作家」東野圭吾，怎會有什麼不幸可言？

在說明之前，請讓我先簡單介紹一下東野圭吾這位作家。

東野圭吾一九五八年生於大阪，大學畢業後進入汽車零件製作公司擔任工程師。由於希望在工作以外，私生活之中也能有個較為不同的目標，所以開始著手撰寫推理小說，投稿日本推理文學代表性的公開徵選長篇小說獎「江戶川亂步獎」。

這並不是東野第一次寫推理小說。早在他十六歲的時候，由於看了小峰元的作品《阿基米德借刀殺人》（一九七三，第十九屆江戶川亂步獎作品）大受感動，之後又讀了松本清張的《點與線》（一九五八）、《零的焦點》（一九五九）等作品。一頭推理熱的他便曾試著撰寫長篇推理小說，而且第一作還是以重大社會問題為主題。然而完成於大學時期的第二作被周遭朋友嫌棄，「寫小說」這件事便從他的生活中消失了好一陣子。

而獲得亂步獎的夢想讓東野重拾筆桿。歷經兩次落選後，他的第三次挑戰——以發生在女子高中校園裡的連續殺人事件爲主軸展開的青春推理《放學後》（一九八五）——成功奪下了第三十一屆江戶川亂步獎。接著他很快地辭了工作，前往東京致力於寫作。自從一九八五年《放學後》出版以後，東野圭吾幾乎每年都會有一到三部甚至更多的新作問世。他不但是著作等身的多產作家，筆下的內容也橫跨了推理、幽默、科幻、歷史、社會諷刺等，文字表現平實，手法卻絲毫不拘泥於形式，多變多樣。

看到這裡，如果你對近年的日本推理有一定程度的了解，或許會聯想到宮部美幸——多采的文風、平實的敘述、充滿令人訝異的意外性；但兩者之間卻又有著決定性的不同。

那就是——相較宮部美幸出道約二十年來，陸續囊括高達十項的日本各式文學獎，筆下著作本本暢銷，東野圭吾卻一直與日本的各式文學獎項擦肩而過，且眞正開始被稱爲「暢銷作家」，也是出道後過了十多年的事。

實際上在《嫌疑犯X的獻身》同時獲得直木獎與本格推理大獎，並且達成日本推理小說三大排行榜——「這本推理小說了不起！」、「本格推理小說BEST10」、「週刊文春推理小說BEST10」——前所未有的三冠王之前，東野出道二十年來所寫的六十本小說（包含短篇集）裡，除了一九九九年以《祕密》（一九九八）一書獲得第五十二屆日本推理作家協會獎之外，其他作品雖然一再入圍直木獎、吉川英治文學新人獎等獎項，卻總是鎩羽而歸。

在銷售方面，他也不是那種只要出書就大賣的暢銷作家。在打著「江戶川亂步獎」招牌的出道作《放學後》創下十萬冊的銷售紀錄之後（江戶川亂步獎作品通常都能賣到十萬冊），整整歷經了十年，東野才終於以《名偵探的守則》（一九九六）打破這個紀錄，而眞正能跟「暢銷」兩字確實結緣，則是在《祕密》之後的事了。

或許是出道作《放學後》帶給文壇「青春校園推理能手」的印象過於深刻，東野圭吾本人雖然一直想剝下這個標籤，過程卻不太順利。書評家們往往不是很關心他在寫作上的新挑戰。這也難怪，在東野出道後兩年，也就是一九八七年，以綾辻行人等年輕作家爲首，提倡復古新說推理小說的「新本格派」盛大興起。從文風與題材選擇看來，東野圭吾作品用字簡單，謎題不求華麗炫目，內容既不夠社會派又不像新本格，自然不會是書評家們熱心關注的對象。

就這樣出道十餘年，雖然作品一再入圍文學獎項，卻總是未能拿到大獎；多少有機會再版，卻總是無法銷售長紅；傾注全力的自信之作，卻連在雜誌的書評欄都占不到像樣的位置。

所以我才會說，東野圭吾是個不幸的作家。說眞話這何止不幸，實在是坎坷，簡直像是不當的拷問。

在獲得江戶川亂步獎後，抱著成爲「靠寫作吃飯」之職業作家的決心，東野圭吾辭去了在大阪的穩定工作來到東京。這個決定使得他沒有退路，不管遭遇什麼挫折，都只能選擇前進。於是只要有機會寫，東野圭吾幾乎什麼都寫。

二○○五年初，個人有幸得以見到東野圭吾本人並進行訪談時，曾經談到關於他剛出道不久時，在推理小說的範疇內不斷挑戰各式題材時期之心境。他是這麼回答的：

「那時的我只是非常單純地覺得自己必須持續寫下去，必須持續地出書而已。只要能夠持續出書，就算作品乏人問津，至少還有些版稅收入可以過活；只要能夠持續地發表作品，至少就不會被出版界忘記。出道後的三、五年裡，我幾乎都是以這種態度在撰寫作品。」

不過畢竟是背負著亂步獎的招牌出道，畢竟是身處日本泡沫經濟蓬勃、推理小說新風潮再起的八○年代後半至九○年代，邀稿的出版社當然也都希望東野圭吾能夠以「推理」爲主題書寫。

配合這樣的要求，以及企圖擺脫貼在自己身上那「青春校園推理」標籤的渴望，東野嘗試了許多新的切入點，使出渾身解數試著吸引讀者與文壇的注意。於是古典、趣味、科學、日常、幻想，在他筆下似乎沒有什麼題材不能入推理，似乎沒有題材不能成爲故事的要素。或許一開始只是爲了貫徹作家生活而進行的掙扎，但隨著作品數量日漸累積，曾幾何時也讓東野圭吾在日本文壇之中，確實具備了「作風多變多樣」這難以輕易取代的獨特性。

是的，東野圭吾是位不幸的作家。但也因此我們才得以見到，那些誕生於他坎坷的作家路上，由歷經幾多挫折仍不屈的堅持所淬煉而成，在簡素之中卻有著數不清面貌的故事。以讀者的角度而言，能與這樣的作家共處同一個時代，還眞是宛如奇蹟般的幸運。

在推理的範疇裡，東野圭吾從不吝惜挑戰現狀。從初期以詭計爲中心的作品，漸漸發展出許多具有獨創性，甚至是實驗性的方向。其中又以貫徹「解明動機」要素（WHYDUNIT）的《惡意》（一九九六）、貫徹「找尋兇手」要素（WHODUNIT）的《誰殺了她》（一九九六）、貫徹「分析手法」要素（HOWDUNIT）的《偵探伽利略》（一九九八）三作，可說是東野在踏襲傳統推理小說元素之下，卻又充分呈現了屬於現代風貌的鮮麗代表作。

而出身於理工科系的背景，也讓東野在相較之下，比其他作家更擅長消化並駕馭以科技爲主軸的題材。像是利用運動科學的《鳥人計畫》（一九八九）、涉及腦科學的《宿命》（一九九○）和《變身》（一九九一）、生物複製技術的《分身》（一九九三）、虛擬實境的《平行世界戀愛故事》（一九九五），還有之後以湯川學爲主角展開的「伽利略系列」裡，東野都確實地將自己熟悉的理工題材，在分解組合後以最簡明的方式呈現在讀者眼前。

另一方面，如同「處女作是作家的一切」這句俗語所述，高中第一次寫推理小說便企圖切入當時社會問題的東野圭吾，由《以前我死去的家》（一九九四）中牽涉兒童虐待的副主題爲開端，對於社會人心的描寫，似乎也成了他作家生涯的重要課題。例如以核能發電廠爲舞臺的《天空之蜂》（一九九五）、試探日本升學教育問題的《湖邊凶殺案》（二〇〇二）、直指犯罪被害人及加害人家族問題的《信》（二〇〇三）和《徬徨之刃》（二〇〇四），在在都顯露出東野對於刻畫社會問題與人性的執著。

東野圭吾這種立足於推理，進而衍生至科技與人性主題上的寫作傾向，在發表於二〇〇五年的《嫌疑犯X的獻身》中，可說是達到了奇蹟似的調和，也因爲這部作品，在二〇〇六年贏得各種獎項，讓東野圭吾正式名列「家喻戶曉的暢銷作家」之列。加上這幾年來，東野作品紛紛電視電影化，他的不幸時代成爲過去，並站上前人未達之高峰。二十年來的作家生涯開花結果，創造了日本推理文壇近年來難得一見的奇蹟。

好了，別再看導讀了。快點翻開書頁，用你自己的眼睛與頭腦，去感受確認東野作品中理性與感性並存，而又如此引人入勝的獨特魅力吧！那將會勝於我在這裡所寫的千言萬語。

本文作者介紹

一九七六年生。嗜好動漫畫與文學的雜學者。曾於日本動畫公司GONZO任職，返國後創辦《挑戰者月刊》並擔任總編輯，現任全力出版社總編輯，另外也負責線上共享閱讀平台ComiComi（http://www.comibook.com/）的企畫與製作總指揮。

燃燒

一

「……回頭一看，丈夫戴著面具。那是個以銀色金屬加工製成、沒有表情的面具。爲了隱藏感情所使用的面具，做得與丈夫瘦削的臉頰、頸部、眉間完全貼合。面具閃動著光芒，丈夫拿著凶狠的武器，直盯著這邊。那武器──」

讀到這裡，摩托車的引擎聲逐漸靠近。他拿著雷．布萊德利（*1）的《火星記事》站到窗前，稍稍撥開窗簾。

他的房間位在二樓東北方角落，從東側窗戶往左下望，能看見盡頭往北的T字道路。今天晚上來了三輛摩托車，人數卻是五人，換句話說有兩輛雙載。他們刻意發出巨大、刺耳的引擎聲，開始聚集在老地方。

所謂「老地方」指的是東側馬路盡頭。那裡設有公車站牌，放著供白天等車的人坐的長椅。那群騎摩托車的年輕人，似乎很喜歡坐在那裡旁若無人地大聲喧嘩。更周到的是，長椅旁還擺了飲料自動販賣機。

那群人不是暴走族，看起來只是普通的年輕人。其中兩個少年染了棕髮，一個把褲頭拉到腰部以下，剩下兩人沒什麼特徵，頂多是其中一人蓄著及肩長髮。

但他心想，不能因爲外表普通，就對他們比較客氣。

他翻開手上的《火星記事》，剛好是〈一九九九年二月　義拉〉這章的一半。他不知道已重讀這裡多少遍，好幾個段落都可以背起來了。這樣下去，不曉得什麼時候才能讀完。

一名年輕人嚷嚷著他不懂的事，其他人聽了齊聲哄笑。他們的嬉鬧聲迴盪在安靜的街道上，這一帶夜晚根本不會有車輛經過。

他離開窗邊，將文庫本放到桌上，走近房間一角的電話。

向井和彥把染棕的長髮紮到腦後，希望能讓自己與眾不同。

現年十九歲的他，一年半前高中畢業後，進入一家油漆公司工作。但他嫌這個工作時間太死、薪水又少，在三個月前辭職了。一年來所賺的錢，全花在二手摩托車與電玩上。他與父母同住，生活不成問題，反倒是父母無法忍受兒子成天無所事事。他受不了父母的嘮叨，不想與他們打照面，才會深夜仍遊蕩在外。

和彥叼著萬寶路菸站在自動販賣機前，投入錢幣，按下可樂。隨著空咚空咚的聲響，大瓶可樂掉了下來。

拿出可樂後，他不經意地瞥向自動販賣機旁，發現那裡放著以前沒見過的東西。

那裡堆著四個裝啤酒的塑膠箱，箱上放了以報紙包裹、約與運動背包一樣大的四角形物品。

奇怪，和彥心想，這裡的販賣機又沒賣啤酒，那一包是什麼？

---

*1 雷・布萊德利（Raymond Douglas Bradbury, 1920-）美國科幻小說家，《火星記事》（*The Martian Chronicles*）為其重要代表作。

但和彥並未再多注意那包東西，他拉開拉環，邊喝著可樂，加入了同伴的對話。其他四人正談論著近來在鬧區認識的女高中生。哪種女孩最容易拐上床呢？——到底還是在講這些。

對和彥而言，其他四人算不上朋友，他也不要這種麻煩的關係。只要是能夠一起玩樂的同伴就好，如果有人向他要求更多反而傷腦筋。

其中一名叫山下良介的玩伴，提起了最近搭訕到的女孩子。山下一向以自己的長髮爲傲，總邊說話邊把頭髮撥到後面。和彥站在自己的摩托車旁聽他炫耀，另外兩人坐在長椅上，剩下一人則跨坐在摩托車上。

「然後啊，進了房間之後，她果然要我戴保險套。我才不想咧，所以打算裝傻，沒想到她居然有帶，只好戴上了。不過我事先用指甲把套子前面弄破，就跟沒戴一樣啦。她因爲我戴了套子，很放心地讓我射在裡面。事後她囉嗦了一堆，我就說破掉了也沒辦法啊。反正我給她的名字跟電話都是假的。」

這大概只是山下良介在自吹自擂，證據是他的鼻孔翕張得比平常厲害。

「你眞過分。」

「搞不好會懷孕耶！」

其他人不懷好意地笑著回應，山下良介似乎很滿意眾人的反應。

「我才不管咧，如果不喜歡，一開始別做不就好了。」他裝模作樣地說著。

正當山下照例將劉海往後撥，打算再說些更過分的話時，突然睜大眼睛，接下來便發生了令人難以置信的事。

山下的後腦冒出大火，瞬間包圍了整個頭部。

山下連叫都沒叫一聲，就這樣慢慢往前傾，彷彿著火的大樹般倒了下來。

此時，和彥與其他三人根本發不出聲音，只能愣愣地看著眼前如慢動作播放的畫面。

然而，實際上他們發愣的時間只有數秒。和彥的右眼餘光瞄到剛才所見的報紙包裹燒了起來，直覺自己會有危險。

之後，伴隨著激烈的爆炸聲，火焰襲擊了他的身體。

二

警視廳搜查一課的草薙俊平開著愛車抵達現場時，火勢已撲滅，消防隊正要離開，看熱鬧的群眾也逐漸散去。

當他下車前往現場時，一名穿著紅色運動服的小女孩從前方走來。小女孩長得圓嘟嘟的，大概是小學一年級或幼稚園大班的年紀。不知道爲什麼，她邊走邊盯著上面，像在找什麼東西。

他正想開口提醒「這樣走路很危險喔」的時候，小女孩似乎絆到什麼東西，摔了一跤，放聲大哭起來。

草薙慌慌張張地跑到小女孩身邊抱起她，發現她膝蓋流血了。

「啊，眞對不起。」看似小女孩母親的女人跑了過來。「眞是的，不是要妳和媽媽一起走嗎？傷腦筋，所以才叫妳在家等嘛。」

草薙雖然想說「居然還責備女兒，妳自己大半夜離家看火災才離譜吧」，仍默默地把小女孩交還給那母親。

「可是人家看到紅色的線嘛，眞的看到了。」小女孩邊哭邊說。

「哪有那種東西啦。眞是的，看妳把衣服弄得髒兮兮的。」

「我看到紅色的線，很長很長的線，眞的有啦。」

草薙思考著紅色的線會是什麼，離開了那對母女。

抵達現場一看，數名男子站在漆黑的馬路中央。其中一人是草薙的上司間宮警部。

「抱歉，我遲到了。」草薙小跑步到間宮身邊道歉。

「辛苦了。」間宮微微點頭。身爲搜查一課股長的他身材矮胖，脖子也很短，看似溫柔敦厚，眼神卻相當銳利。雖說是刑警，但他全身散發出認眞勤奮的工匠氣質。

「是縱火嗎？」

「不，目前還不清楚。」

「有汽油的味道。」草薙抽動著鼻子。

「似乎是塑膠桶裡的東西燒了起來。」

「塑膠桶？爲什麼會有那種東西？」

「不知道，你看那個。」間宮指著倒在路旁的物體。

那的確像裝燈油用的塑膠桶，由於側面嚴重燒毀，已辨識不出原形。

「看來只好等問過被害者了，不然根本不曉得到底發生了什麼事。」間宮搖搖頭。

「被害者是什麼人？」

「五名二十歲左右的男性。」間宮粗聲道：「死了一人。」

正在做紀錄的草薙抬頭問：「是被燒死的嗎？」

「大概吧，他似乎恰巧站在塑膠桶前方。」

草薙壓抑著厭惡的情緒，記下了這件事。只要碰上出現死者的案件，他的心情都會變得很差。

「到附近打聽看看吧。這麼吵，應該有不少人醒著。你去問問房間燈還亮著的住戶。」

「我明白了。」答話的同時，草薙望向周圍的住宅，發現一旁街角的某棟公寓，還有幾間房亮著燈。

那是棟老舊的二層樓建築，幾扇玄關大門朝東西向道路並排著；南側則是陽台，與馬路成反方向，像是邊間才有窗戶，而能夠目擊到案發現場的，只有位在東北角的那一間。

草薙一走近公寓，便發現有名年輕人正要開門進去東北角一樓的房間。他從口袋拿出鑰匙，插入門鎖。

「抱歉。」草薙從年輕人背後叫住他。

回過頭的青年約二十出頭，個子很高，穿著灰色工作服，大概剛去了便利商店，手上提著白色袋子。

「請問你曉得這附近發生火災嗎？」草薙表明身分後，指向T字道路問道。

「當然曉得啊，那麼嚴重。」

「你當時在房裡嗎？」草薙看著貼有「105」數字金屬板的房門。

「嗯，是啊。」青年回答。

「事故發生的前後有什麼奇怪的事嗎？像是聽到巨響，或看到了什麼異象？」

「這個嘛……」青年歪著頭。「我那時在看電視，聽見了那群人的吵鬧聲。」

「是指騎摩托車的那些人嗎？」

「是啊。」青年表情帶著厭惡。

「只要一到週末，這裡就吵得要命，不曉得他們是從哪裡來的，經常半夜兩、三點都還在鬧。這一帶明明很安靜的……」

他輕咬下唇，可見平常就對那群人相當不滿。

那些人看來是遭到報應了——草薙嚥下差點脫口而出的話，這實在不是警察能說的。

「沒有人出面勸阻他們嗎？」

「勸阻？怎麼可能。」青年聳肩，微微地笑了。「當今的日本，沒有人會做這種事吧。」

或許吧，草薙頷首。

「從你的房間看得見事件現場嗎？」

「本來應該……可以吧。」青年的講法有點曖昧。

「什麼意思？」

聽到草薙這麼問，青年打開房門說：「你看了就知道。」

於是草薙查看了室內。這是間只有小廚房，約八張榻榻米大的單人住屋，床鋪、書架與玻璃餐桌就是青年所有的家具。餐桌上有支子母機電話，不過草薙心想，這裡應該用不到子機吧。書架上沒放書，擺滿了錄影帶與生活雜物。

「請問窗戶在哪裡？」

「那裡面。」青年指著書架，「因爲沒地方，只好放到窗邊。」

「原來如此。」

「託這麼擺放的福，多少擋住了一些外面的吵鬧聲。」青年應道。

「看來你對那群人眞的很火大。」

「住這附近的人都有同感。」

「嗯。」草薙的目光停在連接電視的耳機上。大概是吵鬧聲實在太大，只好這樣看電視。這麼一來，即便有什麼可疑的聲響，也不太可能聽見。

「謝謝你的幫忙，很有參考價值。」草薙向青年道謝。即使毫無收穫，還是要向協助者致謝。

「請問……」青年說道，「你也會去二〇五號室問話嗎？」

「二〇五號？你正上方的房間嗎？對，有這個打算。」

「是喔。」青年欲言又止。

「怎麼了？」

「嗯，那個……」青年猶豫了一會兒才開口，「住在上面的人叫前島，他的嘴巴不行。」

「嘴巴不行？」

「他不能說話，沒辦法出聲。該說是啞巴嗎？」

「這樣啊……」

草薙沒料到這種事，幸好對方事先告訴自己。如果傻傻地去問話，一定會很尷尬。

「我也一起去吧。」青年對草薙說，「我跟他還滿熟的。」

「不會麻煩嗎？」

「不會啦。」已進到屋裡的青年又穿上球鞋。

這個親切的青年名叫金森龍男。據他表示，住在二〇五號室的前島一之，耳朵完全沒有問題。

「他的耳朵比一般人好得多，應該也很氣那群人才對。」金森邊走上扶手生鏽的樓梯邊說。一敲二〇五號室的門，立刻有了回應。門一開，縫隙間出現一張瘦削的年輕面孔。他看起來比金森年紀小了些，尖下巴，臉頰蒼白。

前島見深夜來訪者中有一方是金森似乎稍感安心，但望著草薙的眼中還是隱含警戒。

金森說話的同時，草薙出示了警察手冊。前島似乎有點猶豫，不過還是打開了門。

這裡的隔局當然與金森住處相同，只是東側的窗戶沒被擋住。草薙首先注意到與這狹小空間不相稱的高級音響，及堆在地上的大量錄音帶，前島應該是個超級樂迷吧。此外，疊在牆邊的文庫本數量也令草薙驚訝。其中沒有雜誌，幾乎都是小說。

喜歡閱讀與聽音樂的青年——將這樣的印象加諸在眼前的前島身上，草薙不禁猜測，他的確可能憎恨旁若無人地大聲喧嘩的那群人。

草薙站在玄關問道：「剛剛火災的時候，你在哪裡？」

前島面無表情地指著房間地板，彷彿表示「在房間裡」。

「當時你在做什麼？」草薙繼續問。前島身穿Polo衫與長褲，房裡也還沒鋪床，應該尚未就寢。

前島轉身向後，指著放在窗邊的電視。

「似乎是在看電視。」金森向草薙說明這顯而易見的事實。

「事故發生前，有聽到什麼奇怪的聲響，或發現窗外有什麼不尋常的現象嗎？」

前島兩手插在長褲口袋內，冷淡地搖搖頭。

「這樣啊……可以進去嗎？我想看一下窗戶外面。」

前島微微點頭，像在說「請便」般，將手掌伸向窗戶。

「打擾了。」草薙脫下鞋子，走進房間。

窗戶正下方是南北向的馬路，交通流量很小，這段時間完全沒有車子經過。草薙想起剛才金森曾說這裡一向安靜。

事故現場的T字道路在左下方，此時還有幾名調查人員在現場來回走動。

草薙離開窗邊，不自覺地看向旁邊的音箱，那裡放著一本文庫本，是雷・布萊德利的《火星記事》。

「這是你的？」草薙問前島，他點點頭。

「這樣啊，這本書很難讀呢。」

「你看過嗎？」金森問道。

「很久以前曾試著讀，可是沒辦法。基本上我是不適合看書的體質。」

雖然想開個玩笑，但金森並不捧場，反而一副愣住的表情，前島則默默地看著窗外。

再待在這裡也沒什麼用了——草薙下了判斷。

他對兩人說「如果想起什麼，請與我聯絡」後，便走出二〇五號室。

三

發生怪異事件後的第三天，草薙前往帝都大學理工學院物理系第十三研究室。

他是這所大學社會學院的畢業生，在校期間從未踏入理工學院。十幾年後居然會來到這裡，他自己也覺得很奇怪。

物理系位於一棟四層樓的灰色建築內，光是仰望，草薙的決心就萎縮了下來，大概是自己天生便是理工白痴的關係吧。

第十三研究室位於三樓，門上貼著寫有副教授與學生姓名的紙張，一旁則是標示目前使用狀況的磁鐵板。學生似乎都去上課了，湯川的名字邊則貼著「在內」。草薙看了下手表，確認已過了約定好的兩點後敲門。

「請進。」應聲開門後，他卻被室內的狀況嚇了一跳。

裡頭沒開燈，一片漆黑。不對，現在是大白天，不開燈應該也很亮，似乎是拉上了遮光窗簾，外面的光透不進來，根本形同暗房。

「湯川，你在哪裡？」

草薙才出聲呼喊，身旁便突然傳出機械的啓動聲。聽起來像馬達，是草薙很熟悉的聲響。他終於想起那是微波爐時，眼前忽然出現火焰。仔細一看，原來桌上放了台小型微波爐，當中的電燈泡正在發光，非比尋常的是，裡面有火焰在搖晃。

光芒愈來愈暗，終至消失。這一瞬間，窗簾拉開了。

「以這道光歡迎每天努力爲人民維持治安的草薙刑警，稍嫌不夠亮哪！」

一身白衣的男人站在窗簾旁。他個子瘦長、皮膚白皙，戴著黑框眼鏡的秀才長相與學生時期完全無異，就連劉海在眉毛上方剪齊的髮型，也與以前一模一樣。

草薙嘆了口氣，苦笑道：

「別嚇人啦，都幾歲了還搞這種把戲。」

「眞遺憾，我可是以這種方式來表示幫你的決心耶。」湯川唰地一聲拉開窗簾，捲起白衣袖子走到草薙身邊，伸出右手問道：「最近好嗎？」

「還可以。」草薙與湯川握手答道。湯川雖一副弱不禁風的樣子，但他曾是羽毛球社的王牌選手。草薙和他打過多次練習賽，場場都是苦戰。此時握住自己右手的力道，又令他想起當年那段時光。

「上次是什麼時候？」放開手後，草薙問道。他指的是兩人上次見面的時間。

「三年前的十月十日。」湯川自信滿滿地回答。

「是嗎？」

「川本的喜筵上啊，那是我們最後一次見面。大家都穿黑禮服，只有你穿灰西裝。」

「啊，對。」草薙想起當時的情景點頭稱是。確實如此，草薙心想，湯川的記憶力還是跟以前一樣好。

「學校方面如何？你現在是副教授了，應該很忙吧。」看著同伴的白衣裝扮，草薙問道。

「沒什麼特別的變化，反正我早習慣學生素質年年下降了。」湯川一臉認真，不像開玩笑。

「眞是嚴厲啊。」

「你那邊才麻煩吧，尤其是這兩、三天。」

「什麼意思？」

「我早猜到你來的目的，所以特別準備了這個。」湯川指著剛才的微波爐。

「對了，你說什麼要幫我的忙。」草薙邊講話邊伸手要摸微波爐。

「住手，電源還暴露在外，很危險。」

湯川趕緊將一旁插座上的插頭拔起。微波爐背面的蓋子敞開，連接著草薙完全識不得的機器。

而後湯川打開微波爐門，拿出裡面的東西，那是裝在金屬菸灰缸中的電燈泡。

「這就是剛才那個魔術的眞面目。」他對草薙說。

草薙盯著湯川手上的東西，應道：

「看起來只是一般的燈泡嘛。」

「對，只是燈泡。」湯川將它放在一旁的桌上。「微波爐的電磁波所產生的誘導電流，會讓燈泡內的氙電漿化而發光。另外，不單發出紫光，也看得到綠光，可能是電漿裡也摻雜了燈絲中的銅吧。」

「電漿？剛剛那是電漿嗎？」草薙問道，湯川的話他完全不懂，不過他很熟悉「電漿」二字。

「是啊。」湯川在旁邊的椅子坐下，大大伸了個懶腰。「這樣你就明白了吧。我猜你爲了詢問關於電漿的事，應該會特地來這裡。」

「眞是敗給你了。」草薙摸著後頸，在與湯川隔桌相對的椅子坐下。「你怎麼知道？」

「也不是什麼了不起的推理。那場火災在我們這邊也非常有名，加上有人傷亡，警視廳搜查一課的你一定會被派去調查眞相。你這麼忙還來找我，總不會只爲了敘舊吧。」一下子就被看穿了，草薙只能苦笑以對。

「是啊，就是這樣。」草薙搔搔臉頰。

「總之先喝杯咖啡吧，不過只有即溶咖啡。」湯川起身以小瓦斯爐煮水。

趁他在泡咖啡的時候，草薙拿出手冊，重新瀏覽案件概要。

其實這回到底該算案件，還是單純的意外，目前身爲警察的草薙也不確定。

事情的梗概如下：安靜的花屋路旁突然發生局部性火災，當時聚集在附近的五名年輕人中，一人死亡、其餘四人分別受到輕重傷。現場充滿汽油惡臭，火場中亦發現疑似盛裝燈油的紅色塑膠桶，推斷是因故起火燃燒，但不清楚那裡爲什麼會出現那種東西。年輕人表示沒注意到那個塑膠桶，也絕對不是他們點的火。

那麼，究竟爲何會突然起火？

部分媒體提出了「電漿說」。當天候處於容易產生雷電的狀態，空氣等氣體物質會因誘導電流的流動，出現伴隨強光、高熱，如同火球般的電漿。這次的事件可能是電漿促使塑膠桶內的汽油燃燒，不少超自然現象能以此解釋。對警方而言，這樣的說法比什麼幽靈所爲、超能力引發等還容易接受，於是決定仔細調查電漿相關的事，草薙也才會來拜訪大學時代的友人湯川。

湯川拿了兩個馬克杯走回座位。兩個杯子都很醜，可能是哪裡的贈品吧，而且一看就知道平常根本不太清洗。即使如此，草薙仍說了聲「眞是麻煩你了」，然後一副很美味的樣子喝了口咖啡。

「那你怎麼想？」草薙放下杯子，開口問道。

「什麼意思？」

「花屋路的那起火災啊。讓我看這種實驗，不就表示你也認爲跟電漿有關嗎？」

「做這個實驗是因報上登了電漿的說法，心想你一定感興趣。目前我個人沒任何看法，或許是電漿造成的，也可能不是。什麼資料都沒有，無法進行假設。」

「你對那個事件了解多少？」草薙問。

「我當然只知道報紙登的東西啊。」湯川喝了口咖啡，繼續說：「不知爲何放在路邊的塑膠汽油桶，由於不明原因突然起火，燒到了一旁的年輕人——只有這樣。」

「不能從這些事情推理出什麼嗎？」

聽到草薙這麼問，湯川笑了出來：

「別開玩笑了，在警方仔細調查從火場中找出的物品前，不可能推敲出原因。消防隊一定也這麼說吧。」

「現場眞的只找到塑膠桶而已。」

「可是電視台的記者說，塑膠桶上或許有什麼裝置。」

「你以爲那些人想得到的，我們想不到嗎？經鑑識人員詳細調查，並未找到任何特殊裝置的痕跡。」

「請節哀順變。」

「別鬧了，我是認眞來請你幫忙的。」草薙嚴肅地說完後，湯川微微聳肩，露出笑容。

「跟你講件有趣的事吧。美國曾徹底分析飛碟目擊者的證詞，百分之九十以上是看錯東西，其中大多數是將某個天體看成了飛碟。最常被誤看的是金星，不過也有人把月球錯認爲飛碟。」

「你想說什麼？」

「我的意思是，幽靈的眞面目一向都很無趣。路邊有裝著汽油的塑膠桶，一旁是幾個還不成熟的年輕人，然後那個塑膠桶起火了。這不是很容易聯想嗎？」

草薙睜大眼睛。「你是指他們撒謊，其實是他們故意在汽油上點火嗎？明知自己會被燒成重傷？」

「我不曉得那到底是不是故意的，或許是別人放了塑膠桶，他們不曉得裡面是汽油，但也沒有不是他們下手的證據。反正他們可能都抽菸，身上應該帶著打火機。」聽了湯川這些話，草薙不自覺地皺起眉頭。

「拜託你別說那種讓我喪氣的話，這不就和我們課長說的一樣了。」

「哦，搜查一課課長也這麼想嗎？」

「他認爲是那群小鬼太粗心大意的關係。」

「不錯啊，很有道理，沒什麼好質疑的。」

「你如果要堅持那種保守的意見，我再給你新的情報吧。」草薙從上衣口袋拿出某樣東西。

「這不是保守，只是以常理推斷而已。那是什麼？看起來像小型錄音機。」

「其中一名年輕人的證詞。他因爲燒傷的關係，很難開口講話，不過意識很清楚。總之，你先聽一下吧。」

草薙按下開關後，錄音機傳來細微的說話聲，他將音量放大。

首先是簡單的身分確認，少年名叫向井和彥，十九歲。

接著進入正題，從草薙的詢問開始。

（我想請教起火時的狀況，在那之前有沒有發生什麼怪事？）

（怪事……？）

（什麼都可以。當時你們在做什麼？）

（嗯……我、我在抽菸吧，邊聽良介說話。）

（其他朋友呢？）

（沒什麼特別……總之大家都只是在聽良介說話，之後就突然燒起來了，好恐怖。）

（是塑膠桶燒起來吧？）

（不是塑膠桶，是良介……良介的頭。）

（頭？）

（頭髮……他後面的頭髮，忽然冒出火焰，接著便倒了下去。我們嚇壞了，火焰瞬間包圍我們……再來就什麼都不知道了。）

（等等，你是不是說反了？應該是先被火焰包圍，你朋友的頭髮才燒起來吧？）

（不，不是這樣。良介的頭燒起來了，是他的頭先燒起來的。）

聽到這裡，草薙按下錄音機的停止鍵。

「如何？」草薙看著湯川。

湯川不知何時起撐著臉頰，但鏡片後的眼神顯示他並不覺得無聊。

「頭燒起來了？」

「似乎是這樣。」

草薙心知湯川終於對這件事起了興趣，邊偷笑邊掏出菸盒，打算拿菸時，湯川卻默默指著牆上的紙，上面寫著「禁菸！如果腦筋變得更差怎麼辦？」草薙掃興地把菸收進口袋。

「頭……燒起來。」湯川盤起胳膊。「像火柴棒一樣，只有頭先燃燒。」他喃喃自語，「不是魔術卻燒了起來？即使是表演吞火的街頭藝人，也不會出現這種情況。」

「但事情就是發生了。」草薙揮著拳頭。

「屍體狀態如何？真的只有頭燒掉了嗎？」

「很遺憾，他倒下之後被捲進塑膠桶引發的大火，全身焦黑，無法判斷是從哪邊起火。」

湯川再度沉吟，接著突然想起什麼似地看著草薙。「你們那個想法實際的課長，對這件事怎麼說？」

「他認爲那只是震驚之餘，記憶混亂產生的錯覺。但我問了其他人，他們也都表示是那名叫良介的少年頭先著火。」

「原來如此。」湯川頷首，站了起來。「那麼我們去看看吧。」

「去哪裡？」

「廢話，當然是那個異常事件的現場啊。」

草薙盯著湯川好一會兒後，倏地起身。

「好，我帶你去。」

四

事發現場的T字道路即使在白天也沒什麼車輛經過，因此草薙才能不管路幅狹窄，毫不客氣地把開來的SKYLINE停在馬路上。

一旁的飲料自動販賣機下半部已焦黑，商品面板上貼著「故障中」。

「有『故障中』這種用法嗎？」湯川看著那張紙自言自語，「只要說『故障』，意思就通了吧。」

「根據少年們的證詞，」草薙無視湯川的自問自答開始說明，「死亡的山下良介似乎站在這個位置。」他走到距離自動販賣機約兩公尺的地方。

「朝什麼方向？」湯川問道。

「應該是面向自動販賣機。其他少年則圍著他，兩人坐著，兩人站在摩托車旁。」

「裝有汽油的塑膠桶放在哪裡？」

「在自動販賣機旁。那裡堆著四個裝中瓶啤酒用的塑膠箱，塑膠桶就放在那上頭。依向井和彥的證言，當時好像是以報紙包著。」

「裝啤酒的塑膠箱？」湯川環顧四周。「爲什麼會有那種東西？」

「那也是我困惑的地方。」草薙沿著街道，指向東側。「你瞧，那邊看得見酒類專賣店的看板，對吧。我們只知道似乎是從那兒拿過來的。」

「關於這點，店家怎麼說？」

「他們說完全不知道怎麼回事。」

「嗯……」湯川站在自動販賣機旁，右手掌水平放到胸前的高度。「四個塑膠啤酒箱的高度，大概這麼高吧。」

「大概吧。」

「上頭放著塑膠桶。」

「沒錯。」

「然後，」湯川走出道路外大約兩公尺。「死者站在這裡，面對自動販賣機。」

「是的。」

「這樣啊。」

湯川兩手交抱胸前，在自動販賣機旁來回走動。草薙不知爲何不敢開口，只是默默地看著

他。

不久，年輕的物理系副教授停下腳步，抬起頭。

「看來不是電漿的關係。」他說道。

「是嗎？」

「你對這次的事件有什麼看法？是蓄意而爲，還是突發事故？」

「就是不知道才來找你啊。」草薙一臉不高興地抓了抓腦後，露出認眞的表情說：「我認爲是有人故意這麼做。」

「根據什麼？」

「當然是根據裝了汽油的塑膠桶。很難想像那是有人無聊放在那裡的，應該是某人爲了引起火災特意放的。」

「我也這麼想。那接下來便要思考這場火災是如何引發的，可以斷定的是，現實生活中足以將塑膠桶燒得精光的電漿不可能隨處產生。」

「但你剛才不是示範給我看了嗎？」

「如果這個現場能全放進微波爐裡就另當別論。」湯川笑也不笑地說。

「不是電漿引起的，會是什麼呢？」

「目前什麼都無法確定。」湯川以右手中指壓住自己的太陽穴。「少年的頭比塑膠桶還早起火燃燒，這是重點。」

「你相信他們的話？」

「那是真的啊。」

「哦，我很想知道你是怎麼判斷的。」

「若是塑膠桶先著火，再延燒到少年的頭，不是該從臉燒起來嗎？死亡的少年面對著自動販賣機呀。但目擊者全說是從後面的頭髮開始燃燒，爲什麼會反方向燒起來？」

對啊，草薙不自覺地應道。確實如此。

「我認爲正確順序先是少年的頭，之後才是塑膠桶。依最後燒得精光的狀況來看，應該是被施加了某種熱能。也就是說，未知的熱能以『少年→塑膠桶』的順序傳遞。只不過，要是出現那種高熱，其他少年也會發現才對。但依你所言，他們直到塑膠桶中的汽油燒起來爲止，都沒感覺到高熱。」

「的確是這樣。」

「爲什麼會產生這種局部加熱現象呢……？」湯川左手扠腰，右手撐著下巴陷入沉思。

「帝都大學的年輕副教授也舉手投降了嗎？」

「總之我只想到一種可能。」湯川盯著從現場筆直往南延伸的道路，隨即搖頭否定，「不可能。」

「想到什麼了嗎？」

「算了，講給你聽也沒有用。倒是要不要去咖啡廳？我想邊喝咖啡邊整理思緒。」

「好好好，一切遵照老師您的指示。」草薙伸手找著口袋中的鑰匙，走向車子。

上車後，湯川開口：「去咖啡廳之前，在這附近繞一下吧，我想看看街道的狀況。」

「咦？街道的狀況能做爲參考嗎？」

「有時候可以。」

喔，草薙曖昧地點點頭，驅車前進，並按照湯川的指示放慢了速度。但沿途只有並排的住宅與小型商店，不見任何異狀。

「這次的事件若眞是某人蓄意而爲，」坐在副駕駛座的湯川說，「目的究竟是什麼？殺人嗎？」

「這是首要考慮的吧，畢竟眞的死了一個人。」

「是針對那名叫山下良介的少年嗎？」

「不清楚，說不定是針對他們所有人，只不過剛好僅有山下死亡而已。」

「那群少年總是待在那個地方嗎？」

「好幾個人都證實了，他們每逢星期四、五、六的晚上一定會聚集在那裡。」草薙邊回答邊想著，提供證詞的與其說是證人，不如說是受害者還比較貼切。

「事發當天是星期五吧。」湯川問。

「對。」

附近居民對那群少年的評價極差。即使是深夜，他們仍在車輛稀少的安靜地段，旁若無人地飆車、大聲喧鬧，甚至亂丟垃圾，令鄰近住戶頭痛不已。

所以可能是居民中有人受不了他們的行徑，爲了教訓他們才演變成這次的犯罪。

不過，這次事件若眞是某人下的手，究竟會是什麼情況，草薙連輪廓都無法掌握。

他一面思考一面操作方向盤。過了路口，道路變得更窄了，再往前就是連續不斷的轉角，但景色沒有太大變化，都是並排的狹小民房與公寓。偶爾會出現大型建築物，看來應該是鎮上的工廠，這一帶有不少大公司的下游工廠。

不久，草薙開回原處。

「你還要看看別的地方嗎？」他問湯川。

「不用了，去喝咖啡吧。」

「收到。」

離開案發現場、往南行駛時，草薙之前見過的小女孩就站在路邊。那是事發當晚跌倒在地的小女孩。她和那天一樣穿著紅色運動服，也同樣一直抬頭往上看。

「那孩子……那樣走路，等一下又要跌倒了。」經過她身邊時，草薙說道。

「是你認識的人的小孩嗎？」湯川的口氣聽來很不高興。草薙想起這男人從以前就討厭小孩。

「不是。事發當晚她跌倒在路上，我抱她起來而已。」

「什麼啊，原來是這麼回事。」

「你還是一樣討厭小孩嘛。」草薙偷偷瞄了湯川一眼。

「小孩沒有邏輯。」湯川說道，「和沒有邏輯的人來往，會令我精神疲憊。」

「你說這種話會交不到女朋友的。」

「思考有邏輯的女人很多，最起碼跟毫無邏輯的男人同樣多。」

草薙不禁苦笑，湯川頑固的個性一點都沒變。

「剛才那孩子好像在找什麼。」湯川開口，「是氣球嗎？」

「她之前也是這樣走路才會跌倒。」

「眞糟糕。」

「我記得……」草薙想起當晚的情況，接著道：「她說什麼紅色的線。」

「什麼？」

「她說看見紅色的線，又說看不見，不曉得到底是什麼意思。」

這時，湯川猛然拉起手煞車，車子瞬間減速，激烈地左右搖晃。草薙慌忙踩下煞車，把車停住。「你在幹嘛！」

「快倒車！」

「什麼？」

「我叫你快倒車，回去剛剛那個女孩那裡。」

「那個女孩那裡？爲什麼？」草薙一問，湯川拚命搖頭。

「我現在沒空跟你解釋，而且說了你也不懂。總之快點回去就是了。」

湯川急切的語氣讓草薙沒時間多想。放開煞車的同時，他轉動了方向盤。

回到剛才的地點，還好小女孩仍站在原地，直盯著上空。

「你去問。」湯川說。

「問什麼？」

「當然是紅線的事啊。」

草薙回頭看著湯川，那模樣不像隨口胡謅。

草薙停下車子，走近小女孩，湯川跟在後面。

「妳好。」草薙向小女孩打招呼：「膝蓋好了嗎？」

小女孩露出警戒的神色，不過似乎還記得草薙的長相，表情緩和下來，微微點頭。

「妳在看什麼？之前妳也這樣看著上空吧。」草薙邊問邊望向天空。

「才沒有那麼上面，就在那邊而已。」小女孩指著上方，但草薙真的不知道她說的到底是哪裡。

「妳看到了什麼？」草薙再度詢問。

「我看到紅色的線喔。」

「紅色的線？」果然沒聽錯，草薙瞇起眼睛仔細盯著小女孩指的方向，不過還是沒看見任何東西。「我什麼都沒看到啊。」

「對，已經看不到了。」小女孩一臉遺憾地說：「之前明明看得到。」

「之前是指什麼時候？」

「嗯……火災那一天。」

「火災那一天……」

草薙望向湯川。物理學者雙手交抱胸前，皺眉盯著小女孩。草薙不禁想提醒他，那副表情會嚇到小孩的。

此時，前頭不遠的一戶人家開了門，先前見過的小女孩母親走了出來。她發現有男人正親熱地對女兒說話，一臉驚訝。

「前幾天謝謝妳了。」草薙向她打招呼，「妳女兒的膝蓋似乎好得差不多了。」

大概是聽到這句話，想起了草薙是誰，母親立刻露出親切的笑容。

「啊，上次眞是給您添麻煩了。」她禮貌地低頭致謝。「請問，這孩子怎麼了嗎？」

「我剛才聽到一件有趣的事，她好像看見了紅色的線。」

「那個啊……」母親面露尷尬：「她總說些奇怪的事，那明明就不可能發生。」

「是什麼事呢？」

「唉呀，實在是很無聊的事。上星期的……嗯，什麼時候呢？」

「是不是星期五？」草薙應道，「妳女兒說是火災的晚上，那天就是星期五。」

「對、對，沒錯。我記得當晚十一點左右，這孩子突然跑到外面，說有紅色的線。」

「我從二樓窗戶看見的。」小女孩在一旁說道，「跑到外面還是看得到喔。」

「那條紅線出現在哪邊呢？」

「嗯，在那個叔叔的頭那邊。」小女孩指著湯川的臉。湯川又不高興地皺起眉頭。

「是怎樣的紅線呢？」草薙問她。

「伸得直直的，很直很直。」

「很直？」

「她說沿著馬路筆直延伸。」母親替女兒解釋。

「妳也看到了嗎？」

母親搖頭道：

「我聽了之後也走到外面，可是什麼都沒看見。」

「才怪，明明就有。」小女孩不服氣地鼓起臉頰，「媽媽來的時候，明明還看得到。」

「可是媽媽眞的沒看到啊。」

「人家告訴妳在那邊，妳卻說『看不到、看不到』，結果就眞的看不到了啦。」

「她一直這麼堅持。」看來這場爭執已經反覆上演多次，母親流露出些許不耐煩。

站在草薙身後的湯川，在草薙耳邊低聲道「你問她那眞的是綠嗎」，似乎很討厭和小孩交談。

「那眞的是綠嗎？」草薙問小女孩。

「不知道，可是很細、很直喔。」

湯川又低語：「問她有沒有摸？」

「妳摸過它嗎？」草薙再問。

「沒有，我摸不到。」

草薙回頭望著湯川，確認他是否還有疑問。

「再問她這附近有沒有別人看到？」湯川小聲地說。

草薙詢問這對母女。

「我沒問附近鄰居。因爲我沒看到，便覺得大概是這孩子看錯了。」

「才怪，才不是這樣！」小女孩彷彿就要放聲大哭。

湯川一副「我可不想在這種地方聽小孩哭」的表情，拉了拉草薙的衣角，於是草薙向母親道謝後便離開了。

走回停車處的路上，湯川沉默不語。草薙知道他正在思索紅線的事，卻不曉得究竟是哪部分吸引了他的注意。當然，草薙也不清楚紅線的眞面目，總之目前最重要的就是別打擾湯川的思緒。

草薙的愛車並未貼上違規停車的紅單，安穩地停在剛才的位置。他掏出鑰匙打開駕駛座的門，但湯川沒有靠近車子的意思。

「很抱歉，你先回去吧。」他對草薙說道，「我要稍微散步一下。」

「我不能跟你一起去嗎？」

「對，不行。我想單獨走一走。」湯川斬釘截鐵地應道。早在十幾年前草薙便明白，當這男人這樣講話的時候，旁人說再多都沒有用。

「是嗎？那我等你聯絡。」

「好。」

草薙坐進SKYLINE，發動引擎，透過後照鏡能看見湯川正走回原路。

「紅色的線嗎？」

他自言自語，腦中仍沒浮現任何靈感。

五

「……那彷彿是暴風將近的時刻。首先是來臨前的靜謐，緊接著天氣開始轉變，風夾雜黑影及蒸氣吹向大地，空氣中帶著輕微的壓迫感。那種變化會壓迫耳朵，加深暴風來襲前的不安——」

他從書上抬起頭，嘆了口氣。

讀不下去，完全無法集中注意力，淨想著其他事。而所謂「其他事」也只有那件事。

他站到窗邊，拉開窗簾。那晚的事，或者該說慘劇，在腦海裡復甦。

燒得精光了——

他作夢都沒想到事態會變得那麼嚴重，當時完全無法相信眼前的景象，但那是不爭的事實。

他閉上雙眼。自那晚以來，這條街道再度恢復寧靜，諷刺的是，現下的他已承擔不了這樣的靜寂。每當夜晚獨自待在房裡，如墜無底深淵的孤獨與恐懼就不斷侵襲而來。

他突然想起什麼似地靠近音響，按下開關、更換錄音帶，再按下播放鍵。

音箱裡傳出開朗的話聲：

「哥哥，你好嗎？東西收到了，謝謝你寄給我這麼多有趣的小說。託哥哥的福，我現在也喜歡上小說了。前陣子你寄來派翠西亞．康薇爾的女法醫系列，讓我看得好緊張喔。這次的小說中，好像也有她的作品，我很開心。不過，這樣一來我可能會睡眠不足，真有點傷腦筋呢。哥哥，你要小心不要感冒喔。媽媽到三天前為止都還在發燒，但不用擔心，已經好了。我也很健康，只是最近常被念吃太多。我摸了摸肚子一帶，的確多了點肉，多一點點肉也沒關係嘛。你下次什麼時候能回來呢？到時記得寫信給我。你工作一定很辛苦吧，要加油喔。春子。」

背景是妹妹喜歡的女歌手演唱的曲子。他等襯樂結束後，才關掉音響。

他望向漆黑的寂靜夜空，故鄉的景色在腦海中鮮明地甦醒。那是個牽著妹妹的手散步時，沿途無論遇見誰都會溫柔地向自己打招呼的小鎮。

他在心中喃喃低語：「我不是爲了碰上這種事情才離開家鄉的。」

六

那男人出現在他結束一天的工作、正打算切掉主要斷路器的時候。他不知道男人是何時、從哪裡進來的。當對方突然出聲說「打擾一下」的瞬間，前島一之覺得自己的心跳幾乎要停止了。

男人站在搬運大型機械的專用出入口鐵捲門內側，個子很高，不過可能是戴眼鏡的關係，感覺瘦削了點。但如果仔細看，他的肩膀很結實，露出上衣袖子的手也肌理分明。

前島沒問對方的來意，只露出警戒的眼神望著對方，稍稍低頭示意。男人也向他回禮。

這還是第一次有陌生人進入廠內。這家小型工廠包含經營者只有三人，今天一早老闆就出門與重要客戶應酬，而平常一同工作的夥伴則因感冒臥床不起。

「我有工作想委託你們，聽說這裡可以幫忙精密加工。」男人的話聲不帶感情，令前島覺得相當不舒服。

前島暗忖著該怎麼辦，他完全不曉得如何應付直接上門的客人。他不回答，男人便一直盯著他，全身散發出一種「沒聽到答覆不會離開」的決心。

不得已，前島只好拿起業務日誌，在今天那欄寫下「我是啞巴，不能說話」拿給男人看。

男人並未對此表示什麼，以和剛才相同的表情開口道：「之後會再正式拜託你們。但我想先確認是不是眞能照我的希望加工。嗯，實際作業的是你吧？」前島邊點頭指著自己，又豎起兩根手指。

「原來還有一個人啊。不過沒關係，反正你在。我可以看一下機器嗎？」前島點頭，老闆常帶客人參觀機器，而且也沒什麼見不得人的東西。

男人放慢腳步，首先走近一旁並排的機器。

「嗯，有放電加工機兩台、線切割機兩台。全部都是M公司的產品啊？也有數值控制的功能。」

聽到男人這麼說，前島急忙在日誌上寫字，男人湊近一看，讀出內容。

機種很舊，不能做太困難的加工——上面這麼寫著。男人微微笑了笑，或許是對前島坦誠做不到的謙虛態度感到有趣。

不過，前島覺得醜話講在前頭沒什麼不好，如果硬接下太困難的工作，只是給負責實際作業的自己找麻煩。

「時田製作所」是這家小工廠的名字，時田當然是老闆的姓。工廠內的所有機械，都是時田老闆從以前工作過的重型機械製造商那裡便宜買來的，都已遠遠超過可用期限。儘管如此，做爲精密零件加工廠，時田製作所仍受到各方業者的重視。

「是〇．四公厘的線嗎？」男人盯著線切割機問前島。

前島點頭，對男人的知之甚詳欽佩不已。

所謂線切割機，就是通電的線鋸。線鋸是使用刀刃切割物品，而線切割機則是從線中釋放微小電流溶斷物品。如果調小電流，精確度甚至可達毫米。

「你們能做這種加工嗎？」男人從上衣內袋掏出一張紙，上頭以雜亂的線條畫著零件的形狀。從對加工精細度的描述與指示，可知這男人不是外行人。

好小的零件，前島看著圖面暗想。角落部分的要求相當棘手，他偏著頭指著那裡傳達自己的想法。

「果然還是很困難嗎？如果沒辦法，能做到什麼程度就做到什麼程度吧。」男人毫不客氣地盯著室內狀況，邊沿牆走著。他注意到架上的某個物品，便取過手中把玩。那是某家公司訂製的汽車零件樣本。

前島以拳頭敲了敲附近的桌子，男人驚訝地回頭。

前島指著架子，做出觸摸的動作，接著比了個「不行」的手勢。男人似乎也明白了他的意思。

「眞抱歉。鹽分會讓金屬生鏽，不能直接觸摸金屬製品吧。」男人慌張地放回零件。「對了，怎麼樣，可以幫我做嗎？」

前島指著圖面的幾個部分，接著以拇指與食指在眼前比出約三公分的間隔。

「原來如此，那個部分的條件放寬一點的話就能試試看啊，嗯嗯。」男人頷首，這似乎在他的意料之中。「那我今天先把設計圖帶回去，明天再來一趟吧。」

那最好，前島點點頭，將設計圖還給男人。

但接過設計圖後，男人並沒有馬上離開，反而看向立在牆邊的瓦斯桶。那裡有各式各樣的瓦斯。

「其實，我還要請教一件事。」男人大概察覺到前島的視線，豎起食指。

前島端正了自己的姿勢。

男人開口：「也許你會覺得我的問題很奇怪，不過，這裡以前使用放電加工機或線切割機時，有沒有發生過特殊現象呢？」

確實是很怪異的問題，前島只能歪著頭，露出無法理解的表情。

「也就是說，」男人揮了揮右手。「出現過電漿嗎？」

前島不自覺地睜大雙眼。

「放電現象與電漿密切相關，我才會問你這件事。」

前島在日誌上寫著「你是要問花屋路的意外嗎？」遞給男人。

「嗯，是啊。」男人苦笑，接著又伸進上衣口袋拿出名片。「我是從事這方面研究的，那件意外在我們研究者間造成了不小的話題。」

從名片看來，男人似乎是某著名大學的物理系副教授，令前島有些緊張。

「所以我想趁委託加工的時候，打聽一下有沒有能當作參考的事。」

前島點點頭，在日誌上寫下「從沒發生過這種事」。

「你是指從沒出現過電漿嗎？」

前島再度點頭。

「這樣啊。」男人的神情有些遺憾。

前島繼續寫：「果然是電漿嗎？」

「我們是這麼認爲，不過還缺少決定性的證據。」

什麼意思？前島偏著頭看著男人。

「電漿容易在一樣的地點產生，如果那附近又發生相同現象，我的想法就沒錯。」男人敲著瓦斯桶對前島說：「打擾你工作眞是不好意思，我會重新檢討加工精細度再來拜訪。」

前島抱著「等您再度光臨」的想法，對男人鞠了個躬。男人的態度就像對待一般人，令他非常高興。

大學物理系副教授舉起一手打完招呼後，從鐵捲門旁邊的門走了出去。

七

走出時田製作所的湯川，越過草薙的車，確認四周沒人注意自己之後，才繞回來坐進副駕駛座。

「結果如何？」草薙問道。

「還不曉得。總之，我先設下陷阱了。」
「什麼啊，眞不可靠。」草薙邊說邊發動車子。在這裡拖拖拉拉，被前島看見就糟了。
「人不見得總是做合理的事，不按牌理出牌的人反而更多。」
「話是沒錯啦。不過你爲什麼會注意到那間工廠？如果知道那個奇怪現象是什麼，就快點告訴我。」
「關於那件事，與其由我說明，不如親眼瞧瞧，所謂百聞不如一見嘛。」
草薙咂舌：「裝什麼神祕。」
「別緊張。如果我想得沒錯，你很快就能看到那個現象了，那時再告訴你注意到那間工廠的理由。」湯川自信滿滿地說。
草薙不禁抱怨：「眞會吊人胃口。」

今天中午過後，湯川打電話約草薙一起去某個地方。見了面，湯川便帶草薙到時田製作所。
時田製作所離此次案發地點非常近，位在距現場約二十公尺的某條小路左轉盡頭，從路口便能看見工廠正面的窗戶。
湯川要草薙記住這個地方，接著說：
「這裡很快會再度發生同樣的奇異現象，到時你要立刻來調查。」
「爲什麼你這麼肯定？」草薙這麼一問，湯川若無其事地回答：
「因爲我要設陷阱，重現那個現象。」

「什麼陷阱？」

「跟我來就知道了。不過，絕不能讓人認出你是刑警。」

隨後兩人便一同前往工廠。但快抵達時，草薙不自覺地躲到一旁，因爲前幾天盤查過的瘖啞青年正在廠內。

「這麼說，他家離事發地點很近囉。」兩人暫時回到車上，湯川問道。

「近得很，窗戶一打開，就能看到左下角的現場。」

「這樣啊。」湯川點頭打開車門。

「你要去哪？」

「還用說嗎？我去就好，你跟著來可麻煩了。」

「你要做什麼？」

「設陷阱。」湯川側臉露出微笑，便下了車。

眞想打開這男人的腦袋瞧瞧裡頭裝什麼，草薙握著方向盤有感而發。湯川到底推理出什麼結論？根據什麼預言同樣的現象會再次發生？他完全不曉得。唯一知道的，就是目前他只能乖乖聽湯川的話。

湯川預言後的第三天，T字道路再度發生怪異事件。

引發的現象酷似第一樁事件，放置在自動販賣機旁的紙箱突然起火燃燒，只是這回沒有被害者。

但有目擊者——三天前便開始監視的刑警草薙。

起先草薙並不曉得發生了什麼事，不過一聯想到那個異常現象後，立刻衝往那間工廠。接著，他在那裡發現了某種東西，雖不清楚這時點出現的會是什麼，但想必與怪異現象脫不了關係。

草薙回到公寓旁，便見到某個男人從二樓的二〇五號室走出，他隨即躲到一邊。對方剛好朝草薙來的方向前進。

草薙尾隨在後，他很清楚男人的目的地。

男人進入時田製作所，打算湮滅罪證時，草薙開口叫他。

青年瞬間僵立，緩緩回頭。

他臉色蒼白，雙眼泛紅。

「你……」草薙不禁嘆氣。

站在草薙眼前的人不是前島一之，而是金森龍男。他應該住在那棟公寓的一〇五號室才對。

這下連湯川也沒料到吧，草薙心想。

八

盛著即溶咖啡的馬克杯還是一樣髒兮兮。草薙心想，如果要繼續和這男人打交道，一定得習慣這個杯子。

「竟然是雷射光啊。」他放下杯子，嘆了口氣。

「正確地說是二氧化碳雷射。」湯川訂正草薙後點點頭。

「什麼，雷射分很多種嗎？」

「是啊。代表性的有二氧化碳雷射、YAG雷射、玻璃雷射等。」

「雖然常聽到雷射這兩個字，卻沒想到會出現在我們身邊。」

「CD音響也使用雷射，可是提到能燒毀人的雷射，就像科幻電影的情節了。」

「你是指雷射槍那種東西？不過以那間工廠的設備來看，很難說是槍吧。」

放置在時田製作所的雷射設備是一個卡車大的箱子。據老闆表示，那是他低價向以前的公司收購的，主要用於鋼板的切斷與熔接。

「爲了產生高功率的雷射光線，必須讓含有二氧化碳的雷射氣體高速噴出，以及控制高壓電穩定放電，設備體積自然龐大。然而，即使是那樣的雷射設備，要切斷數公厘的鋼板也不簡單。」

「可是詹姆士·龐德曾拿著手槍大小的雷射槍射穿裝甲車。」

「那種事過一百年也辦不到。」湯川斷然否定。

「話說回來，」草薙雙手交抱胸前，瞪著往昔的羽毛球球友。「你是什麼時候發現的？」

「發現什麼？」

「雷射啊，你早就知道了，對吧？」

「啊啊……」湯川半張著嘴。「我一聽到是從少年的後腦開始燃燒，便猜可能跟雷射有關。但眞正確定，還是紅線的關係。」

「我也想問你，那條線到底是什麼？」
「沒什麼，那只是氦氖雷射而已。」
聽到湯川的回答，草薙露出厭煩的表情：「又是雷射啊？」
「別擺出那麼不高興的臉，你應該也看過氦氖雷射吧。演唱會的時候不是會使用雷射光嗎？就是那個。」
「它爲什麼會出現在那裡？」
「雷射設備最重要的是調整光的行進路徑，若不這麼做，不僅無法針對目標輸出，也不能確定雷射光會如何射出。但只爲調整路徑便使用高功率雷射光是非常危險的，一般多採用無害的雷射光，就是氦氖雷射。」
「當時看到的紅線是……」
「依我推測，既然犯人使用了氦氖雷射調整二氧化碳雷射的行進路線，那麼附近必定有雷射設備，才想在四周繞繞，結果很快便發現那家工廠。雖然沒看見雷射設備，架上卻擺著只能以雷射切斷的零件，因斷面上有細小的皺褶。此外，從那裡貯存有發射雷射需要的二氧化碳、氦、氮等瓦斯桶判斷，其他房間應該放置了二氧化碳雷射的設備。」
工廠位於T字道路前一個路口的左轉盡頭。第二次事件發生之後，警方打開窗戶才看見那台雷射設備。
「不過，雷射不都是筆直前進的嗎？」
「所以他使用了鏡子。如果從工廠直接發射，可能只會命中第一個街角的電線桿，但利用表

面鍍金的鏡子調整位置，便能準確命中那條T字道路。黃金幾乎可以百分之百地反射雷射。」

「那麼，他是以氦氖雷射調整路徑？」

「就是這樣。」

「可是爲什麼會一下看得見、一下又看不見？」

「基本上肉眼無法看見雷射，但結合某些物質後，便能看見反射光，像氦氖雷射只要碰到煙霧便會顯現出紅色直線。可能恰巧電射光遇上了灰塵，那個小女孩才會看到。」

「嗯。」草薙抓抓頭，有種似懂非懂的奇妙感覺。

「但我完全沒料到另一名員工才是元兇。我一直認爲那個前島是嫌犯，因爲你說他住在現場附近。」

「不過，另一名員工也住同一棟公寓。」

那就是金森。草薙對當初沒詢問兩人的工作地點感到懊惱不已。

所幸前島將湯川的話告訴了金森，陷阱才能奏效。只要走錯一步，特地設下的圈套便會白費。

「對了，有件事我怎麼也想不通。」湯川說。

草薙忍不住微笑：「他們爲何換房間，對吧？」

「沒錯。原本金森住一樓、前島住二樓，當天是相反的吧。」

「正是如此。」

事發當時，草薙問前島人在哪裡，前島指著地板。草薙以爲是「在房間裡」，實際上前島的意思是「在樓下」。

「爲什麼？是因爲二樓較容易看清現場，金森作案當天才找理由向前島借房間嗎？」

「不、不是這樣。他們平常就頻繁地交換房間。」

「這是爲什麼？」

「這個嘛，便是犯罪動機。」草薙故意慢慢喝著咖啡，心想偶爾吊吊湯川胃口也不錯。

最早的契機是金森開始當有聲書的義工，爲盲人朗讀從圖書館等地借出的書以製成錄音帶。這個工作並非誰都能勝任，得接受專門的訓練。到眞正可以獨立進行錄音爲止，金森已上了半年的學校。

「金森的妹妹是盲人，他才會去當義工吧。即使接受了訓練，也無法輕易辦到。更令人驚訝的是，幾乎沒有什麼專用的機器，基本上都是義工們自行準備。雖然一般的錄音機就足夠，但一定要使用特殊的麥克風，而金森只買了專用的麥克風。」

「只買了麥克風……啊，原來如此。」湯川點頭，露出理解的表情。

「沒錯，金森要錄音的時候，便向前島借器材，前島則到金森的房間。」

身有殘疾的前島，當然會幫金森的忙。加上擔心金森會不小心錄到雜音，即使在金森房裡看電視他也會戴耳機。

「此外，金森使用前島的房間還有個好處，就是大量的書。實際上，金森目前爲止錄過的書，大部分都是前島的。案發當晚，他似乎正在錄《火星記事》，那也是前島所有。」

「簡直是做有聲書的工作室嘛。」

草薙點頭同意。

「就是這樣，直到那群年輕人出現爲止。」

「那群年輕人啊……」湯川不快地皺起眉頭。

金森表示，那群騎摩托車的年輕人發出的噪音，害他最近完全無法錄音。不論想錄什麼，總會錄到引擎聲。

「所以他氣到殺人嗎？」

「不，他沒打算殺人。他只是想讓塑膠桶中的汽油起火，稍微嚇一嚇他們而已。」

「但不巧有人站在容器前面，雷射光命中對方的後腦杓，事情就那樣發生了。」

「由於先燒到延腦，山下良介恐怕是當場死亡。」草薙轉述法醫的說法。

「山下倒下後，雷射按照預定使塑膠桶起火了。」湯川將眼鏡中央稍微往上推。「金森是遠距遙控啓動雷射設備嗎？」

「他似乎使用了電話。雷射設備是以電腦控制的，據說他設計成只要傳送某種模式的電話按鍵聲，連上電話線的電腦就會啓動。」草薙邊看手冊邊說道，但即使念出來，也完全不了解句子的意義。「所以他才帶著無線電話的子機到前島房間，因爲前島沒有電話。」對無法開口表達想法的前島而言，電話只會令他焦躁不安，最適合他的聯絡工具是呼叫器。

「也因此金森沒辦法迅速地操作雷射設備，等發現光軸上有人時，已經來不及了。」

「他也很倒楣哪。」草薙感慨地說，「之前是噪音的關係無法錄音，但事件發生後，又由於殺了人心情大受影響，話聲抖得根本不能錄音。」

「我好像能理解。」

「逮捕他時，他只拜託我一件事。你猜是什麼？」

「什麼？」

「讓他錄完一本童話故事，他說當下覺得自己可以順利錄音了。」

「嗯，童話啊。」兩人沉默了一會兒，湯川打了個呵欠站起身。

「你要再喝一杯即溶咖啡嗎？」

「好啊。」草薙遞出馬克杯。

轉印

頭一左右轉動就嗶嗶剝剝響，因爲他一直維持同樣的姿勢。

藤本孝夫看了一會兒動也不動的浮標，瞪向身旁正大打呵欠的山邊昭彥說：

「喂，你果然還是被騙了，這裡根本不可能釣到鯉魚。」

山邊盯著從剛才便毫無變化的水面，不解地歪著頭。

「眞奇怪，我明明在齊藤家的水槽中看見從這裡釣到的鯉魚啊。」

「那是別地方釣來的，你被齊藤騙了。」

「是嗎？」山邊仍舊偏著頭。

兩人是國中同學，由於住得近，從小便玩在一起。受到各自父親的影響，釣魚成了兩人共同的興趣。

山邊聽一年級的同班同學齊藤浩二說，距鎭上約二十分鐘腳踏車路程的自然公園內，有個葫蘆池能釣到鯉魚。

「亂講，那種地方怎麼可能有鯉魚。」這是藤本孝夫乍聽之下的感想。

「齊藤說以前有人想在那裡養殖鯉魚，可能是當時留下的，或是牠們的子孫，總之數量很多。雖然很少出現，不過一到秋天，鯉魚爲了儲存糧食便會拚命吃東西，只要選對地方就釣得到。」山邊如此說明。

雖然有些難以置信，但並非毫無可能，加上兩人很久沒釣魚了，便約好星期天一起到葫蘆池。

然而，如藤本孝夫所料，別說鯉魚，什麼魚都沒有。

這種池子當然釣不到東西，孝夫看著荒涼的前方嘆了口氣。

池子大小與他們學校的游泳池差不多，形狀有點細長、中間部分凹陷，因此被稱爲葫蘆池。由於周圍雜草叢生，也不在自然公園的健行步道路線上，很多當地人根本不曉得這個池子。聽說這裡曾有水黽與甲蟲，但從現在的狀況來看，根本無法想像。

水面上那許多保麗龍、塑膠容器等垃圾最先映入眼簾，彷彿包覆著垃圾的灰色油膜漂浮四處。池邊甚至堆著遭人棄置的建築廢材及機器零件等金屬物品。

藤本心想，對從健行步道繞到這裡的遊客來說，這兒等於是巨大垃圾場，是那些不知藏身何處的惡劣分子拋棄大型垃圾的好地方。

藤本拉近釣線，整理起釣竿。

「根本釣不到，我們回去吧。」

「果眞不行啊。」山邊似乎還戀戀不捨。

「根本沒有魚啊，別浪費時間了。與其在這裡釣魚，不如在家裡打電動。」

「說的也是。」

「沒錯，走吧。」藤本整理好釣具後起身。

「我上當了嗎？」

「當然嘍，廢話。」

即使如此，山邊還是念念有詞地看向池子。

眞是笨蛋，藤本罵道。

就在此時——

「奇怪，」山邊突然口氣一變，「那是什麼？」

「怎麼了？」

「你看那個發亮的東西，在右邊水面上。」藤本順山邊指的方向望去，只見約三十公分大小的平面物體，反射陽光漂浮著。

「大概是鍋子吧，」藤本說，「像便利商店賣的煮鍋燒麵的鋁鍋之類，沒什麼大不了。」

「是嗎？我覺得那東西有點怪耶。」山邊起身，拍拍牛仔褲臀部沾到的泥土，沿池畔走去，還拿著釣竿。

藤本一臉厭煩地跟在後面，心想山邊大概是對自己被騙還拖朋友到這種地方感到不好意思，才故意說些奇怪的事吧。

山邊在最接近的地方停下腳步，那東西與牛奶盒一起漂在距池邊兩公尺遠的水面上。

山邊以釣竿拉近那個東西，到能伸手觸碰的距離時，連藤本也看出來了。

「那是什麼啊……」

「看起來不像便利商店的鋁鍋。」山邊說著，拿起那個奇怪的東西。

二

看著舞台上的四名少女，觀眾席上的草薙不禁睜大了眼睛，因爲她們怎麼看都不像只有十三、四歲。她們並非單純的濃妝豔抹，而是根據外貌的特色，各自化上了最成熟、最有女人味的妝。她們的穿著相當大膽，身材也都發育到足以穿那麼暴露的衣服了。身爲警察的草薙暗想，即使自己在鬧區看見這些女孩子，也不會認爲她們的年紀需要輔導吧。

節奏強烈的音樂響起，女孩開始跳舞。草薙再次訝異於她們的舞姿，瞬間忘了這裡是國中體育館。

「這些孩子到底是爲了什麼來上學的？難道學校裡也有特種行業相關課程嗎？」草薙小聲問身旁的姊姊森下百合。

「這種程度還不夠看啦。」他姊姊望著舞台頭也不回地應道：「聽說裡面有的還會勾引老師呢。」

「眞的嗎？」

「美砂告訴我的，而且據說去年的畢業生中有人懷了老師的孩子。」

草薙無法故作鎭定地回聲「眞是糟糕啊」，只能頻頻搖頭。

草薙的姊姊昨晚邀他一起觀賞女兒的校慶演出。但眞正的理由是她想拍下女兒的表演，卻不會操作攝影機，要草薙來幫忙。今天是週六，不過草薙的姊夫臨時出差不在家。

也因此，草薙才會帶著攝影機與姊姊一同到學校。走進體育館，瞥見看板上寫著「舞蹈比賽」時，他大吃一驚，因爲聽說是校慶演出，他便直覺地以爲是戲劇表演。

「喂，輪到美砂了。」百合拍拍草薙的膝蓋提醒，他趕緊把攝影機對準舞台。

在司儀的介紹下，出現了五名少女。草薙透過鏡頭看著她們，又不自覺張大了嘴。五人穿著大紅旗袍，還開叉到腰際。

會場四處響起了口哨聲。

「最近的女孩子都是那樣。」出了體育館後百合說。

「我大概想像得到姊夫苦惱的樣子。」

「他似乎習慣了，不過之前父女吵架吵個沒完。」

「我眞同情他。」

姊姊呵呵笑了幾聲，像是不怎麼煩惱女兒即將變成女人的事。

「我去找美砂，要不要一起吃飯？就當是你幫忙攝影的謝禮，我請客。不過我也只請得起家庭餐廳喔。」

「聽起來不錯。」

「那你在這裡等一下。」

草薙目送姊姊再次前往體育館的背影，發現一旁的劍道場掛著「奇妙博物館」的看板。

他暗忖剛好可以打發時間，便舉步走向入口。

草薙經過一臉無聊的櫃檯人員面前，進入場內一看，果然都陳列著奇怪的東西。「以甲子園的土燒成的煉瓦」上有幾個小洞，說明寫著「落敗隊伍的悔恨淚水穿透了土壤」。此外，還有不知從哪撿來的破毛毯，展示牌註明「飛天魔毯（因超過飛行年限，已退休）」。

草薙想著「真是浪費時間」時，牆上的某個陳列品令他停下了腳步。

那是石膏做成的人臉，解說標著「殭屍的死亡面具」。看起來是張閉著眼睛的男人面孔，額頭中央有個像黑痣的大突起，雖無法判斷年齡，不過絕非國中生的長相。

由於這個面具太過逼真，草薙推測是利用橡膠之類的材料拓下臉型，再以石膏製成。最近市面上已有可在數分鐘內凝固的橡膠。

但草薙更在意的是，看著石膏面具的同時，心中莫名有種怪異的感受。這股不安究竟從何而來？草薙仔細思考了一會兒，察覺了箇中緣由。

他是個刑警，且隸屬負責命案的搜查一課，經常看見屍體。

死者具有獨特的表情，與活人閉眼時的臉孔完全不同，這是草薙從工作中得到的經驗。兩者之間的差異不單是臉色、皮膚光澤等外在特質，而是整體散發出的氛圍分屬兩個世界。

這張面具散發出的是另一個世界的氣息，草薙心想。

但他又覺得不可能，國中生不可能使用真正的屍體，做出這樣噁心的石膏面具。

他試著說服自己，這個作品只是恰好做出了那種感覺。若不這麼做，他平靜不下來。

他走馬看花地瀏覽完其他展示品後步向出口，心裡還是掛念著那張面具。

此時，兩名三十歲左右的女性無視草薙的存在，迅速地走進會場。再怎麼想看國中生以特殊品味陳列的展示品也太過急切了，草薙不由得停下腳步，觀察兩人的動靜。

兩名女性一心一意前往觀賞的目標是方才那張死亡面具，其中身著套裝的女性說：「就是這個。」

另一名穿連身洋裝的女性並沒有立刻回話，只是對著面具動也不動地站著。但從一旁窺視她的同伴愈來愈慘白的臉色可察覺，她的神色不太對勁。接著，草薙發現穿連身洋裝的女性細瘦的肩膀正微微顫抖。

「果然是嗎？」身著套裝的女性問道。

穿著洋裝的女性痛苦地彎下身體，呻吟似地說：「是哥哥，沒錯……」

穿洋裝的女性名叫柿本良子，任職於東京都內的保險公司。身著套裝的女性，是這個學校的音樂老師小野田宏美，與柿本良子從學生時代起便是朋友。

「最初是小野田小姐看了這個面具之後，覺得像柿本進一先生，對吧？」草薙看著手冊上的筆記確認道。

「是的。」小野田宏美挺直背脊，點點頭。「我丈夫與柿本先生是舊識，一起打過很多次高爾夫。聽說柿本先生前一陣子失蹤，我非常擔心……」

「發現這個的時候，妳嚇了一大跳吧。」草薙以原子筆指著桌上的石膏面具。

「是的。」小野田宏美嚥了下口水。「我原先認為不可能，但實在太像了，連黑痣的位置也一樣，不得已才告訴她。」她看了一眼身旁垂頭喪氣的柿本良子。

「妳眞的認爲是令兄嗎？」草薙詢問柿本良子。

「我是這麼認爲。」她小聲答道，雙眼還紅腫著。

草薙兩手交抱胸前，盯著那副面具，不自覺地沉吟起來。

這裡是國中校園內的某間接待室。草薙發現兩人看了面具的反應不太尋常，主動搭話後覺得事有蹊蹺，才在此了解詳情。據兩人表示，死亡面具酷似柿本良子今夏失蹤的哥哥柿本進一。

草薙坐在離她們有點遠的鐵椅上，望向瘦小的中年男子。對方叫林田，是開設「怪奇博物館」的自然科學社的指導老師。

「老師聽過任何關於這個面具的事嗎？」草薙指著面具問道。

林田老師立刻挺直背脊。

「呃，這個嘛，我從沒聽學生提過。關於展示的內容我全交給學生決定，因爲有必要重視學生的自主權。」他的口氣聽來推託，或許是擔心會因這件事被追究責任吧。

此時響起了敲門聲，林田起身開門。

「等你們很久了，快進來。」林田催促著兩名男學生。這個年紀的男孩子大都很瘦，這兩人也是如此。其中一名戴著眼鏡，另一名額頭上長了很多青春痘。

兩人分別是山邊昭彥與藤本孝夫。戴眼鏡的是山邊，捧著一個方形箱子。

「這是你們做的吧。」草薙交互看著兩人問道。兩名國中生彼此對望一眼後，輕輕點頭，臉上盡是疑惑。

「你們怎麼拓下這個臉型的？」草薙問道，「這是在模型裡倒入石膏製成的吧？」

山邊抓抓頭，小聲地說：「是我們撿到的。」

「撿到？」

「這個。」山邊打開帶來的方箱，取出某樣物品遞給草薙。

「這是……」草薙睜大眼睛。

那是張金屬製的面具。不，正確而言，是與臉部凹凸相反的面具；把石膏倒進裡頭，乾掉後便是展出的死亡面具了。

草薙不知道這是什麼材質，厚度看來與裝飲料的鋁罐相同。轉印其上的臉型，與石膏製成的死亡面具一模一樣。

「這在哪裡撿到的？」草薙問兩人。

「在葫蘆池撿到的。」山邊回答。

「葫蘆池？」

「就是自然公園內的池子。」藤本從旁插話。

兩人說明是在上星期日撿到這個金屬面具。山邊想到可以用來做死亡面具，完成後效果意外地好，便連忙將它當作自然科學社的展示品展出。

「還有其他類似的東西嗎？」

「沒了吧。」山邊徵求藤本的同意，後者默默點頭。

「池子沒什麼奇怪的地方嗎？」

「奇怪的地方？」

「我是指有沒有發現任何與平常不同的地方？」

「可是，我們也不常去那裡啊。」山邊不太高興地應道，藤本似乎沒開口的打算。

草薙盯著兩名神情不安的國中生，對柿本良子問道：

「聽到葫蘆池有沒有想起什麼？妳哥哥常去那邊散步嗎？」

「我沒聽說過。」她搖頭否認。草薙摸了摸臉，望向目前爲止的紀錄。

他無法判別是否該視這件事爲刑事案件，當然實際上並非由他來判斷，他只是不曉得如何向上司報告這件怪異的事。

「警察先生……」林田老師有點猶豫地開口，「萬一這個面具的原型眞是這位小姐的哥哥，會有什麼問題嗎？」

懦弱的教師問到這裡時，又響起敲門聲。

「來了。」林田應聲前去開門，來人探進頭。

「對不起，有位柿本小姐……」

「是我大嫂。」柿本良子說。

草薙點頭，在此進行問話之前曾請良子連絡她大嫂。

「讓她進來。」草薙指示帶路的男子。

男子還不及回答，門就被用力打開了，接著走進一個女人。她的長髮隨便紮在後面，年約三十五。可能是接到通知後便匆忙趕來，完全沒化妝。

「大嫂，就是這個……」柿本良子指著石膏面具。

那女人滿布血絲的雙眼瞥見桌上的面具，睜得更大了。

「和妳先生……」像嗎？草薙還沒說完，就知道不須再問了。她以右手遮住嘴巴，發出呻吟，跪倒在地。

三

研究室門口的狀況確認板上，貼著顯示湯川在內的磁鐵。草薙確認之後敲了兩次門，裡面傳出一聲「請進」。

開門的同時，左邊傳來「砰」的敲擊聲。他望向聲源處，只見一個救生圈大小的白色煙圈，由空中緩緩朝他所在的位置移動。

「哇！」草薙嚇了一大跳，隨即又傳來「砰」的聲響，同方向飄來與剛才一樣的白色煙圈，空氣中有股蚊香的味道。

眼睛習慣後，他看見微暗的房間一角放著大型紙箱。箱子的正面有個直徑十幾公分的洞，旁邊站著白衣袖子捲到手肘上的湯川學。

「這是歡迎你的烽火喔。」他說完後拍了拍紙箱後面。

箱子前面的洞噴出白色煙霧，變成甜甜圈的形狀，往草薙的方向飄去。

「那是什麼啊？你又在玩什麼把戲了？」草薙揮開煙圈問道。

「這不算什麼把戲，只不過是把蚊香放進箱子而已。等箱裡充滿煙，再輕輕拍打，就會產生許多煙圈。你們癮君子中有人喜歡吐出煙圈，和那個道理一樣。流體常有令人玩味的現象，讓我不禁覺得世上眾多不可思議的現象，其實都是流體的惡作劇。」湯川按下牆上的開關，微暗的室內充斥日光燈的光芒。

「如果你能以這種精神幫我解決這件不可思議的事，就太感激了。」草薙說道。

湯川在鐵椅上坐下。「今天你又帶來什麼不可思議的案件？難道出現了怨靈嗎？」

「你的直覺眞敏銳。」草薙打開帶來的運動背包，拿出裝在透明塑膠容器中的物品。「這可是怨靈的面具喔。」

看到容器中的金屬面具，湯川挑起單邊眉毛。

「容我拜見一番。」他伸出右手。

「是鋁做的。」湯川摸著面具說道。

「我一看就知道了。」草薙有點得意。

「這個連小學生都知道。」湯川乾脆地駁回。「爲什麼這會是怨靈的面具呢？」

「那確實很怪。」

草薙開始報告外甥女就讀的國中發生的事。物理系副教授坐在椅子上，兩手放到腦後，閉著眼睛聽草薙說明。

「所以，這面具的主人便是那個失蹤的男人？」聽完之後，湯川問草薙。

「嗯。」草薙回道，「應該沒錯。」

「你怎麼能確定？」

「因爲發現屍體了。」

「屍體？」湯川傾身向前，「發現了？在那個什麼……」

「葫蘆池。」

屍體於三天前撈起。柿本進一的妻子昌代與妹妹良子，堅持面具的主人就是進一，因此警方搜索了葫蘆池，幾個小時後發現了屍體。

屍體腐敗得非常嚴重，連衣著是否屬於死者都無法辨識。所幸有牙齒治療的紀錄，確定屍體爲柿本進一並未花多少時間。

「爲什麼屍體的臉部模型會掉在池裡？」湯川皺著眉頭問道，「而且還是金屬製的。」

「就是不知道，才會來找你啊。」

聽草薙這麼說，湯川悶哼一聲，以中指稍微往上推了推眼鏡。

「我可不是靈媒，也沒辦法坐時光機回到過去。」

「但你能找出背後隱藏的眞相啊。」草薙拿起金屬面具。「關於這個面具，目前有兩個問題：一是怎麼製作的，再則是犯人的動機爲何。」

「犯人？」湯川又皺起眉頭，盯著學生時代的老友，緩緩點頭。「原來如此。不是他殺的話，搜查一課的刑警也不會這麼緊張。」

「頭骨側邊凹了下去，鑑識結果顯示，犯人以沉重的堅硬鈍器重擊死者頭部。」

「犯人是男人嗎？」

「或是腕力很強的女人。」

「面具的主人已婚，那麼妻子不也有可能嗎？推理小說中，兇嫌就近在死者身邊，且還是女性的情形，不是很常見嗎？」

「柿本太太個子很小，看來沒什麼力氣，我想她是做不到的。不過，我們尚未完全排除她的嫌疑。」

「妻子殺死丈夫，將屍體扔到池裡前，爲保留回憶而做了面具，最後將製作面具的鋁製臉型一併丟棄，這推論倒也合理。」湯川從草薙手中拿過金屬面具，再次觀察起來。儘管他的口吻滿不在乎，卻流露出身爲科學家的眼神。

「即便只能推理出面具的製作方法，我也很感激。」草薙看向湯川手裡的面具說道。

「警方內部應該也有一些想法吧？」

「我跟鑑識人員討論過，他們做了各式各樣的實驗。」

「比如？」

「他們最先嘗試的是，將和面具一樣薄的鋁片直接壓在人臉上。」

「聽起來很有趣哪。」湯川露出微笑，「結果呢？」

「完全不行。」

「當然。」湯川忍俊不禁，「如果那樣便能拓下臉型，蠟像師就不用那麼辛苦了。」

「無論多小心，臉部的肌肉都會變形。說的極端點，他們只能拓下戴著絲襪般的臉型。由此可知，要拓活人的臉型大概不行，死人的話或許可以。」

「因爲死後僵硬的關係。」湯川頷首，笑容已消失。

「再怎麼說，鑑識人員對拿真的屍體進行實驗還是有所抗拒，所以我們利用其他案件中複製的臉模進行實驗，終於順利做出類似的成品。」

「類似的成品？」

「我的意思是與臉型相似。不過，很遺憾無法製作出那樣出色的成品。」草薙指著湯川手上的金屬面具說，「具體來講，就是無法跟它一樣精確地複製出臉部的凹凸。如果利用更薄的材料，像是錫箔或許還可以，但若是那個面具的厚度就難了。」

「錫箔的話，很難維持目前這個形狀。」

「總之，鑑識人員認爲得在鋁材上持續施加強而均等的力量才可能辦到。」

「我也有同感。」湯川將金屬面具放在桌上。「所以在製作方面，警方舉雙手投降囉？」

「嗯，可以這麼說。」草薙點頭。「怎麼樣？物理系的湯川老師也舉白旗認輸了嗎？」

「我沒單純到這麼容易受你挑釁。」湯川起身走到門旁的流理台，問道：「要不要喝咖啡？」

「不用了，反正一定是即溶咖啡。」

「你可別瞧不起即溶咖啡。」湯川在依然髒兮兮、沒仔細清洗過的馬克杯中倒入便宜的咖啡粉。

「即溶咖啡的製作可是歷經多到令人受不了的錯誤嘗試，也許沒什麼人知道，不過，即溶咖啡最初是日本人開發成功並加以商品化的。當時使用了所謂的圓桶乾燥法，簡單地說，就是將咖啡抽取液加以乾燥。之後，麥斯威爾開發出噴霧乾燥法，提升了即溶咖啡的味道，銷售量也隨之增加。進入七〇年代，眞空冷凍乾燥法終於登場，成爲現今的主流。如何？儘管是即溶咖啡，學問仍舊很深奧吧。」

「就算這樣，我還是不喜歡即溶咖啡。」

「我要說的是，沒有能簡單製造出來的事物。鋁製面具如此，即溶咖啡也是如此。」湯川在馬克杯中倒入開水，以湯匙攪拌幾下後，站著聞咖啡香。

「眞好，這就是科學文明的味道。」

「你沒在這個面具上聞到相同的味道嗎？」

「當然有，香氣撲鼻呢。」

「既然這樣……」

「我有兩、三個問題。」湯川拿著馬克杯問道：「那個葫蘆池是怎樣的池子？位於何處？」

「怎樣的池子，我也……」草薙摸著下巴。「只是山腳邊一個非常普通的小池子。池裡垃圾很多，髒亂算是它的特徵吧。周圍都是草叢，附近有健行步道。那一帶都叫自然公園。」

「沒人在那一帶狩獵嗎？」

「狩獵？」

「就是打獵啦。沒有拿著獵槍的獵人鬼鬼祟祟地出沒嗎？且不是拿霰彈槍而是來福槍。」

「來福槍？別開玩笑了。」草薙笑道，「那麼小的山，不會有用那種東西才能捕獲的獵物。我也沒聽過獅子從動物園逃出來的消息。總之，那裡禁止狩獵。」

「是嗎，這樣啊。」湯川一臉認眞地喝著咖啡，來福槍的事似乎不是隨便問問。

「怎麼了？來福槍有什麼問題嗎？剛才我說過，屍體的頭部側面有遭鈍器毆打的痕跡……」

「那個我知道。」湯川伸出空著的手，制止草薙發言。

「我不是在說死因，而是在思考面具的製作方法。不過，看樣子與來福槍無關。」

草薙不知所措地抬頭看著這個有點怪的朋友。與這男人對話，他常覺得自己腦袋很差，此刻他也完全無法理解為什麼湯川會提到來福槍。

「找時間去一趟吧，」湯川說道，「那個葫蘆池。」

「隨時奉陪。」草薙回答。

四

和湯川分手後，草薙與同事小塚一同拜訪柿本進一家。由於柿本家忙著守靈與喪禮，到昨天為止他們都沒能與柿本的妻子昌代好好談話。

柿本家位在國道上坡的某條住宅街最深處。兩人穿過大門，走上一小段樓梯便是玄關，只見一旁車庫的鐵門是拉下的。

柿本昌代獨自在家，看來雖有些疲倦，髮型卻整理過也化了妝，比先前見面時年輕許多。可能意識到自己正在服喪，她穿著近乎黑色的樸素襯衫，不過還戴了小小的珍珠耳環，似乎仍舊很注重打扮。

昌代帶草薙與小塚到客廳。客廳約四坪大，擺著皮製沙發。靠牆的櫥櫃裡並排著不少優勝獎盃，從尖端的裝飾可知都是在高爾夫球賽中贏得的。

柿本進一生前是牙醫，繼承了父親留下的診所。草薙看著牆上的獎狀，心想那間診所的病患現在應該覺得很困擾吧。

草薙先聽昌代一臉疲憊地訴說守靈與喪禮有多麻煩，接著便進入正題。

「請問在那之後，妳還有想起什麼嗎？」

昌代右手摸著臉頰，露出牙疼般的表情。

「自從找到我先生的遺體，我也想了很多，但眞的沒有半點頭緒。究竟爲什麼會突然發生這種事呢？」

「妳還是想不出妳先生與葫蘆池之間的關聯嗎？」

「想不出來。」她搖頭。

草薙翻開手冊。

「我想再確認一下，妳最後一次見到妳先生是在八月十八日星期一早上，對吧？」

「是的，沒錯。」昌代不必看牆上的月曆便能立即回答，因爲已被問過很多次。

「那天妳先生約了人打高爾夫球，早上六點從門口開車出發。車子是……」草薙看著手冊的記載。「嗯，他開的是黑色奧迪。到此爲止，有需要修正的地方嗎？」

「沒有，一切都如你所說。那天剛好對面的濱田一家出發去伊豆，我還記得當天早上曾看見他們把行李搬上車子，所以是十八日沒錯。」昌代毫不遲疑地回答。

「而後，由於妳先生沒回家，妳便在隔天早上向警方報案，對吧。」

「是的。我原想可能是打完球，酒喝過頭在哪裡睡著了，以前發生過同樣的事。但到了隔

天，他還是沒有任何消息，聯繫他的球友，對方卻說沒一起去打球，我才擔心得……」

「向警方報案嗎？」

「是的。」昌代頷首。

「早上出發後，妳先生都沒跟妳聯絡嗎？」

「沒有。」

「那麼，妳沒和妳先生聯繫嗎？我記得他有帶手機。」

「我晚上打了很多次，卻一直不通。」

「是什麼情形？是電話一直響，卻沒人接嗎？」

「不，是對方在收不到訊號的地方或關機了之類的情況。」

「原來如此。」

草薙將原子筆的筆尖按進按出，這是他煩躁時的習慣。

柿本進一開的黑色奧迪，在他失蹤四天後於埼玉縣的高速公路旁發現。根據警方的紀錄，之後雖搜索了附近地區，卻沒發現任何有關柿本進一行蹤的線索。所以，警方實際上並未針對這起失蹤案進行調查。若非兩名國中生在兩個月後撿到金屬面具，利用它做成石膏面具，且音樂老師發現這張臉與朋友的哥哥一模一樣，柿本進一失蹤案肯定還是毫無進展。

在黑色奧迪中，發現了柿本進一的球具袋、運動背包及高爾夫球鞋盒。車內沒有打鬥痕跡，也沒有血跡。此外，柿本昌代也證明沒有物品失竊。

葫蘆池距離發現奧迪的地方相當遠，犯人大概想避免屍體太早曝光及擾亂搜查，才特意將車移到別處。

「車子停在車庫嗎？」草薙問道，心想還是再讓鑑識人員調查一次比較好。

然而昌代一臉抱歉地搖頭：「我已經賣掉車子了。」

「什麼!?」

「因爲不知道什麼人用過那輛車，心裡很不舒服，況且我也不會開車。」接著她小聲說了句「對不起」。

這也不無可能，草薙暗想。如果留下，只要看到車子便會冒出不吉利的想像，家屬肯定受不了。

「抱歉，至今妳一定回答過很多次同樣的問題，而感到相當厭煩了。不過，我還是想請問，是否知道誰會對妳先生懷恨在心？什麼人可能在妳先生去世後獲利，或對他活著一事感到困擾？」草薙不抱期待地發問。

柿本昌代雙手放在膝上，嘆了口氣：「眞的被問過好幾次了，但我完全沒有頭緒。雖然這麼說有點奇怪，不過我先生是個懦弱的爛好人，只要受到請託，絕對講不出拒絕的話。像別人找他買馬，他也無法推拒。」

聽到這裡，剛剛一直沉默不語的小塚刑警抬起頭。

「馬？妳是指賽馬嗎？」年輕刑警氣勢十足地問道，草薙這才想起他是賽馬迷。

「是的。我先生對賽馬沒太大興趣，但在朋友的熱心勸說之下，就決定和對方一起買馬了。」

「出了很多錢嗎?」草薙問。

「我不清楚。」昌代偏著頭，珍珠耳環搖晃著。「我沒問得太仔細，不過大概有一千萬左右吧。我曾聽他在電話裡跟別人提到這件事情。」

「那是何時的事?今年嗎?」

「是的，記得是春天時，對方來找我先生談的。」昌代摸著臉頰。

「知道找妳先生一起買馬的那個朋友，叫什麼名字嗎?」

「知道，是個姓笹岡的人，應該是我先生的患者。我覺得他有點奇怪，所以不太喜歡他，但我先生卻和他很合得來。」她顯得不太高興，或許發生過什麼討厭的事吧。

「方便告訴我他的聯絡方式嗎?」

「好的，請稍等。」昌代起身走出房間。

「眞是有錢，居然擁有賽馬。」小塚刑警小聲道，「牙醫果然很賺錢哪。」接著似乎聯想到治療時的情況，摸了摸右頰。

草薙沒搭腔，重新看了一遍目前爲止記下的內容，心想：「那麼，那匹賽馬在哪?」

五

湯川雙手插在褲袋裡，動也不動地站著，鏡片底下是對非常不愉快的眼眸。

「眞是太過分了!」他不屑道：「我又重新感受到人類的道德有多低落。糟到這種程度，比起氣憤，更感到悲哀。」

草薙也站在湯川身邊望著葫蘆池。那裡跟撈起屍體的時候一樣，到處堆著廢棄物與大型垃圾。兩人腳邊滾動著前幾天還沒有的汽車電池。

「能把這裡弄成這副德性的只有日本人了，眞是丟臉。」草薙說道。

「不，這不是日本人的專利。」

「是嗎？」

「印度的核子發電廠也違法將放射性廢棄物丟入河川，前蘇聯也將同樣的東西棄置在日本海。無論科學文明如何發達，人心不隨之進化，就會變成這樣。」

「只是使用者的問題嗎？發展出那些科技的學者又如何呢？」

「學者的心靈是純粹無私的，若非如此，便得不到戲劇化的靈感。」湯川理所當然地說完，走向池邊。

「眞自以爲是。」草薙悶笑了一聲，追在學者身後。

湯川站在池邊，環視水面。

「屍體在哪找到的？」

「那邊。」草薙指向葫蘆池最骯髒的部份。「過去看看吧。」

撈起屍體的地方堆著許多不明大型垃圾與金屬材料，那些是隨屍體一塊兒從池底拖上來的，每一樣都沾滿了灰土，當時附著的泥巴已經乾了。

湯川望著腳下的目光突然停在某一點。他蹲下身子，撿起某個物體。

「這麼快就發現什麼了嗎？」草薙問他。

湯川拿在手上的是三十公分見方的金屬片，草薙不是第一次看見這個東西，之前到這裡時，也發現好幾枚相同的金屬片。

「看來似乎是某公司棄置的廢棄物，我們目前正在調查是哪家。」

「這好像是那個面具的材料。」

「鑑識人員也這麼說。材質相同，我想應該沒錯。」

湯川環顧四周，撿起兩枚鋁片，接著望向附近草叢，又撿起某種物體。那是外覆黑色膠膜的電線。

「那條電線怎麼了？」草薙從旁出聲問道。

湯川沒回答，只是盯著電線的前端。露出膠膜的導線前端，似乎經融化及冷卻變成了圓形。

他拉扯電線，發現另一端落在距離池邊數公尺之處，和長約一公尺、生鏽的輕型鋼筋纏在一起。

「好像有同樣的電線隨屍體一起被撈上來。」

聽草薙這麼說，湯川猛力回頭，眼鏡差點掉了下來。

「你們把電線丟在哪裡？」

「不，沒丟掉。鑑識人員認爲那條電線可能接觸過屍體，現在應該由他們保管中。」

「方便讓我看一下那條電線嗎？」

「可以吧，我會拜託他們。」

草薙如此回答後，湯川一臉滿足地點了點頭。

「我還要你調查一件事情。」

「什麼？」

「幫我詢問氣象局，今年夏季打雷的日期與時間。」

「打雷？」

「如果能知道這一帶發生落雷的日子就更好了。」

「只要調查應該能立刻知道，但這和雷有何關係？」

湯川只是再次望向池子，意有所指的微笑，不發一語。

「什麼啊，你那表情眞討人厭。你到底曉得什麼了？」草薙問道。

「還不確定。等確認之後，便能眞相大白了。」

「你別吊人胃口了，即使只是目前所知的事情也好，快告訴我。」

「眞遺憾，科學家不經實驗加以驗證，絕不會吐露心中想法。」湯川將三枚鋁片與骯髒的電線推給草薙後說：「好了，回去吧。」

六

新宿某大廈的一間房中，草薙與小塚刑警一同和笹岡寬久會面。公司名爲「Ｓ＆Ｒ有限公司」，光聽就相當可疑。

草薙詢問笹岡的工作內容，他如此回答：

「我們主要以一般企業爲對象販賣電腦，也仲介一般企業和軟體開發公司的交易。這陣子好不容易才上軌道。」

笹岡約四十出頭，頗爲健談，問一答十，但細聽便會發覺話中毫無實質內容，足見他的膚淺。辦公室內部豎立著屏風，無法看清全貌，也感覺不出員工的存在。他還對草薙和小塚說「刑警先生要不要也買台電腦啊？今後是人人都需要電腦的時代喔」這種明顯瞧不起兩人的話，難怪柿本昌代會說笹岡「有點奇怪」。

草薙先是詢問笹岡是否認識柿本進一，笹岡馬上大大嘆了口氣。

「我和柿本醫生不只認識，我臼齒大半都是他治好的。」笹岡搓著下巴。

「這次的事情眞是太遺憾了。我之前就聽柿本太太提過柿本醫生失蹤，一直很擔心他捲入什麼不好的事件中。由於已過了兩個月，老實講，我認爲活著的可能性應該很低。不過還眞慘哪，不知道該說什麼才好。」

「你去參加葬禮了嗎？」草薙問。

「沒有，我不巧因爲工作的關係無法出席，只拍了封弔唁的電報。」

「你從哪裡知道發現柿本先生遺體的消息呢？」

「報上寫著不曉得是哪個國中還是高中的校慶上，展示了柿本醫生的臉部模型，才找到他的遺體。後來我便聯絡柿本太太，問她舉行葬禮的地點。」

「原來如此，的確有報紙大篇幅報導了那件事情。」

草薙想起有家報社下了「國中校慶展出真正的死亡面具，相關人士均百思不得其解，秋天的神祕事件」的標題。

「眞不可思議，爲什麼那種地方會出現臉的模型呢？」笹岡雙手交抱胸前，偏著頭，以窺伺般的眼神看著草薙。

「請問警方查出原因了嗎？」

「目前仍在調查中，鑑識人員也很頭大。」

「我想也是。」

「我們迷信的課長認爲是慘遭殺害的死者怨念，轉印到附近的鋁製金屬片上。」這是騙人的。其實草薙的上司最討厭非科學的事，是個理性主義者。

笹岡露出了不自然的笑容，似乎對草薙的話有些害怕。

「那麼，」笹岡捲起亞曼尼襯衫的袖子，看了一眼手表後向草薙說：「今天兩位有什麼事要問我呢？如果是我知道的，一定據實以告。」口吻非常親切，卻也隱隱意味著「我什麼都不知道喔」。

「我想請教關於馬的事。」草薙說：「就是賽馬的事情。聽說你建議柿本先生一起買馬，對吧？」

「啊，那件事情哪。」笹岡神色未變地點頭道：「很可惜，柿本醫生那麼期待，最後卻讓他失望了。」

「你的意思是，最後沒買到馬嗎？」

「原本是相當不錯的交易，有人介紹我血統純正的小馬，但我這邊還在集資的時候，被別人搶先了。總之是常有的事。」

「是仲介商來找你談的嗎？」

「對。」

「能告訴我對方的通訊方式嗎？我們想做個例行性的確認。」

「沒問題。奇怪，名片放哪去了？」笹岡摸著胸口口袋，一邊咂舌：「糟糕，我放在家裡了，晚點再跟你們聯絡可以嗎？」

「沒關係。小塚，之後由你和笹岡先生聯絡。」

「好的。」年輕刑警回答。

「感覺眞怪，我好像受到懷疑了呢。」笹岡堆起笑臉，討好似地說。

「抱歉，我們無意造成你的不快。不過，警方無法忽視柿本先生的帳戶被提領了一大筆錢的事實。」

「一大筆錢？」

「是的，一千萬圓，這對上班族而言可是不小的金額。你確實拿到了一千萬圓的支票，沒錯吧。」

笹岡輕咳一聲：「嗯，那是買馬的資金。」

「你似乎將那張支票兌現了，請問那筆錢後來的去向如何？」

「當然交還給柿本醫生了。」

「怎麼還的？匯到柿本先生的戶頭嗎？」

「不，我是還現金，直接送到他家裡。」

「那是什麼時候的事？」

「呃，什麼時候呢？很久以前還的，記得是七月底。」

「你收錢時，有沒有什麼書面證明？」

「收下支票時曾寫下借據，所以還錢後，柿本醫生也將借據還我了。」

「借據目前在你手上嗎？」

「沒有，我處理掉了，因為那不是什麼令人愉快的東西。」

說到這裡，笹岡看了手表一眼。這個舉動相當刻意，彷彿在暗示「談話就到此結束吧」。

「那麼，我再做最後一項例行性確認。」草薙在「例行性」三個字上加重語氣：「如果你能詳細交代自八月十八日起十天內的行動，對我們的調查會很有幫助。」

笹岡的額頭瞬間脹紅。即使如此，他還是笑容滿面地交互望著兩名刑警。

「你們果然還是在懷疑我嘛。」

「非常抱歉，不過不光是你，對刑警而言，所有案件相關人員都有嫌疑。」

「真希望你們趕緊將我從名單上排除。」笹岡翻開手邊的記事本。

「剛剛是說自八月十八日起，對吧？」

「是的。」

「太好了，我有不在場證明。」笹岡看著記事本說道。

「怎樣的不在場證明？」草薙問。

「我那天恰巧出國旅行，去了中國兩個星期。看，這裡寫著吧？」笹岡翻到寫有行程安排的那一頁給草薙看。

「你一個人嗎？」

「怎麼可能，我是和客戶共四人一起去的。如果能保證不造成他們的困擾，我可以告訴你聯絡方法。」

「我答應你。」

「那麼，請稍等一下。」笹岡起身，消失在屏風的另一邊。

草薙與身旁的小塚刑警對看一眼，年輕刑警不解地歪著頭。

不久，笹岡拿著A４大小的名片夾回座。

「你們是從成田出發嗎？」草薙邊抄笹岡所指的名字與聯絡方式邊問。

「是的。」

「幾點出發？」

「記得是十點左右。啊，不過我八點多就去機場了，因爲八點半集合。」

「原來如此。」

草薙在腦中計算時間。柿本進一早上六點離家，笹岡可能在途中殺害柿本、將屍體丟進葫蘆池，再把黑色奧迪棄置在埼玉縣境內，於八點過後抵達成田機場嗎？

幾秒鐘之後，他下了結論：絕對不可能。

七

草薙把湯川不知從哪拿出的吃剩爆米花放到嘴裡，拍著鋼桌。

「不管怎麼看，那男人都很可疑。除了他以外，沒別人了。」他恨恨地說完，一口氣喝掉即溶咖啡。雖然自來水的鐵鏽味很噁心，但他實在沒力氣抱怨。

「不過敵人可是有銅牆鐵壁般的不在場證明。」站在窗邊喝咖啡的湯川應道。今天他難得開窗，風吹入室內時，遮陽窗簾、白衣衣襬及他微褐的頭髮都靜靜搖晃著。

「你不覺得那個不在場證明很不自然嗎？柿本進一失蹤當天，他就出國旅行。」

「如果是偶然，那個人也太幸運了。要是沒有那個不在場證明，他早被你吊起來拷問一番了。」

「在這種時代，我們不會做那種事的。」

「這我可就不知道了。」湯川拿著馬克杯，面向窗外，落日餘暉灑落在他臉上。

草薙又吃起爆米花。

調查過後，笹岡供稱的不在場證明的完全無誤。同行的公司職員表示，他們在八月十八日早上八點半和笹岡在成田機場碰面。旅行途中，笹岡也沒有偷偷回國的情況。

然而，從動機著眼，沒人比笹岡更可疑。警方聯繫馬商後得知，對方雖曾向他提議買馬，卻未具體地進行下一步，更別談集資了。

再深入清查笹岡的周遭狀況，警方發現他從今夏起便被好幾家銀行催債，可是夏天過後，他卻一口氣還清了所有借款。草薙推測，柿本進一存放在笹岡那裡的一千萬圓，有部分遭笹岡擅自挪用。

但警方現下無法逮捕笹岡，因爲實際上他根本不可能犯下罪行。

「對了，之前拜託的事幫我調查好了嗎？」湯川再次轉向室內。「就是打雷的事。」

「啊，有、有，當然調查了。」草薙從上衣內袋拿出記事本。

「只是，這件命案和打雷到底有什麼關係？」

「你先別管，把查到的事告訴我。」

「可是，不知道目的便進行調查，總覺得怪怪的。」草薙打開記事本，「嗯，首先從六月開始。」

「從八月開始就可以了。」湯川冷淡地說道。

草薙瞪著因逆光而看不清表情的友人臉孔。

「你說『這個夏天』，所以我從六月調查起。」

「是嗎？不過從八月開始就行了。」湯川毫不在意友人的不滿，面無表情地將馬克杯送到嘴邊。

草薙嘆了口氣，重新看向記事本。

「關東地區在八月份有打雷的地方是……」

「說東京的部分就好，尤其是葫蘆池所在的西東京。」

草薙拿記事本敲著桌子。「那你爲什麼一開始不講清楚？這樣我就不用調查那麼多資料了。」

「抱歉。」湯川應道，「繼續吧。」

「你眞的覺得抱歉嗎？」草薙邊抱怨邊再度攤開記事本。「八月份葫蘆池附近發生落雷的只有十二日和十七日兩天，九月份是十六日與——」

「等一下。」

「又怎麼了？」

「你剛剛好像說了十七日，對吧？是八月十七日沒錯吧？」

「是啊，沒錯。」草薙反覆看了好幾遍紀錄後說，「那天有什麼不對勁嗎？」

「原來是十七日啊，八月十七日，然後下一次落雷是在九月十六日。」

湯川把馬克杯放在一旁桌上，左手插進白衣口袋，慢慢舉步前進，右手搔著後腦。

湯川突然停下腳步和搔著後腦的動作，盯著室內某一點，像人偶般動也不動。

不久，他低聲笑了起來。因爲實在太突然，草薙瞬間以爲他痙攣發作。

「那個人出國旅行了幾天？」湯川問。

「誰？」

「你懷疑的那個人哪！他去中國幾天？」

「啊……兩個星期。」

「兩個星期，換句話說，回到日本的時候是九月初嘍？」

「是啊。」

「你不認為他是回到日本之後才作案的嗎？這樣一來，困擾你的不在場證明也就消失了。」

「這種情形我也想過，但完全不可能。」

「依死亡時間判斷的嗎？」

「是的。專家分析屍體腐敗的狀態，柿本最晚應該在八月二十五日左右就遇害了，不可能是九月之後。」

「是嗎？」湯川在附近的椅子坐下。「不可能在九月之後被殺嗎？原來如此。」他輕輕搖晃著肩膀笑道，「說的也是，非這樣不可。」

「什麼意思？」

湯川蹺起腳，兩手交疊膝上。

「草薙刑警，看來你似乎犯了個大錯。不，說你犯錯有點可憐，因為你中了犯人的圈套。」

「你說什麼？」

「告訴你一個好消息吧。」湯川以指尖調整了眼鏡位置後道：「犯人是在八月十七日之前行凶的。」

「什麼？」

「正是如此，也就是說，八月十八日被害者還活著的證詞是謊言。」

八

柿本昌代承認是笹岡寬久的共犯一事，是在兩名國中生撿到金屬面具後，正好過了三週的星期天。她似乎是因笹岡遭逮捕而有所覺悟，一知道從車庫鐵捲門化驗出笹岡的指紋後，便立刻供出了眞相。

「是他提議殺害我先生的。我並不想這麼做，但他威脅若不配合，就要將那件事告訴我先生。不得已，我只好聽從他的話。」昌代辯解道。

她所謂的「那件事」是指與運動俱樂部教練的外遇關係。笹岡以此威脅她。

但笹岡的講法完全相反。

「我威脅她？怎麼可能。她外遇被丈夫發現，面臨離婚，便找我商量。她說如果我幫忙，就會替我處理借款。是的，買馬的錢也可以不用還。不，我是眞的打算買馬才會請柿本醫生出錢，沒打算欺騙他。那女人眞是太過分了，我完全被她利用了。」

誰說的才是眞話，負責偵訊的刑警們一時也無法斷定。不過草薙心想，恐怕是半眞半假吧，因重新檢視兩人的犯行後，發現雙方的行動都非常積極。

根據兩人的供述，實際犯案日期是八月十六日深夜。趁柿本進一洗澡的時候，笹岡在昌代的協助下侵入浴室，以鐵製榔頭毆打柿本致死。

兩人隔天早上處理了屍體。笹岡利用柿本家的奧迪將屍體運到葫蘆池丟棄，接著在回程途中將奧迪棄置於埼玉縣境內。

問題是接下來的那一天。兩人希望能夠製造出柿本進一到這天早上都還活著的假象，以確保不在場證明，因此特別準備了同型的奧迪，讓附近鄰居看見那部車從柿本家車庫駛出。

實際上，卻是這個小動作讓兩人露了餡。

倘若犯案日期在十七日之前，那麼笹岡究竟是從哪裡弄到奥迪的？調查顯示，笹岡的賽馬夥伴中有人擁有同型的車子。對方與案件無關，老實地承認八月十八日當天將車借給了笹岡。

一旦眞相大白，就會發現這其實是個非常簡單的詭計。只不過最初引發草薙對笹岡疑心的是柿本昌代，所以沒想到兩人竟是共犯關係。由於警方一直將笹岡當作目標，才落入了兩人反其道而行的陷阱中。

「你怎麼知道犯罪日期在十七日之前呢？」草薙的上司問了他好幾次。

這時草薙便會指著腦袋回答：「嗯，因爲這裡不一樣啊。」

九

草薙被帶到一棟建築物前，門上寫著「高壓電研究室」，此外還有一排黃字標示「危險！非相關人員禁止進入」。光是這樣就令他有點怯步，一進到裡面，更覺腿軟。

幾座平常只在電視或照片中看過的大型絕緣器並排而立，彷彿將部分發電廠設備搬進了這個房間，滿地都是蛇群般的電纜線。

「總覺得來這種地方，絕不能隨便亂摸。」草薙對著大步向前的湯川背影說：「我對電氣這類東西實在不行，好像隨時會觸電，雖然實際上應該不至於。」

湯川突然停下腳步，輕快地回頭：「不，這有可能喔。」

「咦？」

「好比旁邊的小箱子，你覺得那是什麼？」

草薙向右望，有個和大型暖爐體積相仿的金屬箱，上方只有兩個突起，看不出是什麼機器。

「不知道，完全猜不出來，那是什麼？」

「蓄電器。」湯川說道，「至少聽過名字吧？」

「啊啊，蓄電器，我記得以前上課的時候教過。」草薙邊這麼回答邊想：我爲什麼要這樣陪笑臉呀？

「你可以摸看看那個突起的地方。」

「沒關係嗎？」草薙戰戰兢兢地伸手。

「沒關係吧，」湯川淡淡地繼續道，「不過也可能受觸電衝擊整個人飛出去。」

草薙連忙縮回手。「開玩笑的吧？」

「原則上，這裡的蓄電器都是放完電的狀態，但若長時間放置不管，會由於靜電作用逐漸帶電。那種大小的蓄電器如果充飽電，你馬上就完蛋了。」

草薙迅速往後退至湯川身邊。

「什麼嘛，既然這樣就別叫我摸啊。」

「不用擔心。仔細看，蓄電器兩個突起都接著電纜線吧，那樣就不會發生儲電的情況了。」

湯川哼笑兩聲後，繼續往前走。

雜亂無章的實驗室中央，放著一個四方形、和家庭浴缸大小相似的水槽。因爲是透明壓克力製成，可以清楚看見水正注入水槽。槽內似乎放了許多物品，其中也有電線。

湯川站在水槽旁，看著裡頭。

「過來一下。」

「不會又要嚇我了吧？」

「你大概會嚇一跳，不過爲了你的工作也沒辦法。」

禁不住湯川的催促，草薙看向水槽，不自覺地「哇」了一聲。

他首先注意到浸在水中的似乎是沒戴假髮的女模特兒頭部，距臉孔數公分處放著先前看過的薄鋁片，而離鋁片數公分處則固定著電線。僅有一小段電線剝下膠膜，裡面的導線好像解開了。

「我試著重現葫蘆池的情景。」湯川說。

「葫蘆池當初是這樣的狀況嗎？」

「恐怕是。」

「那麼，要如何做出那個金屬面具呢？」

「接下來就是要表演給你看啊。」

湯川沿著露出水槽的電線移動。水槽另一頭連接著明顯的人工裝置，裝置的一部分由剛才湯川用來威脅草薙的蓄電器製成，只是這個蓄電器大得多。

「這是簡單的打雷裝置。」湯川說明。

「打雷？」

「那裡不是有兩個相對的電極嗎？」他指著前方三公尺處。

那邊有個固定相隔數十公分的銅製圓形電極的裝置。仔細一看，電極另一端連接著露出水槽的電線。

「我要讓那裡產生小小的雷電。」

「那樣會發生什麼事？」

「我們不是在葫蘆池畔撿到電線嗎？」

「是啊。」

「你記得那時電線和掉在池邊的鋼筋纏在一起吧。」

「記得。」

「如同你調查的，八月十七日當天那一帶下了非常激烈的雷雨，不只這樣，有個很大的落雷就打在池邊。」

「打在那條鋼筋上嗎？」

「對。」湯川頷首。「它發揮了避雷針的功用。我想你也清楚，雷其實就是電，因此雷雲中挾帶的電流，便一口氣向鋼筋釋放。」

草薙點頭，即使科學白痴如他，也不難想像那個場面。

「那麼對鋼筋釋放出的電流，下場如何呢？一般會被地面吸收，但池邊的鋼筋上卻纏著容易通電的電線，大部分的電流便經電線釋放到池中。」湯川邊說邊指著壓克力水槽。

「然後呢？」草薙催促湯川繼續，到此爲止他都能理解。

「但是，」湯川說道，「如果那條電線的粗細不足以讓電流通過，又會如何？或者部分細到快斷掉呢？」

草薙想了兩秒後搖搖頭。

「不知道，會怎樣？」

「接下來就是要做這個實驗。」湯川從白衣口袋掏出一付眼鏡遞給草薙。

「這是什麼？」

「安全眼鏡，沒有度數。萬一發生意外就麻煩了，戴上它。」

「意外？」

「說不定會有碎片亂飛。」

草薙連忙戴上眼鏡。

「要開始了。」湯川緩緩將身旁機械的轉盤往右轉。

「現在蓄電器充電中，你就當我在製造雷雲吧。」

「雷不會不小心打到我們這邊來吧？」草薙開玩笑地問。

「不會。」

「是嗎？」

「只要沒弄錯配線的話。」

「什麼？」草薙驚叫，望著湯川一本正經的側臉。

「蓄電器快充完電了。」湯川看向電極，「兩電極間會產生幾萬伏特的電位差，擋在其中是所謂『空間的牆壁』。一旦電位差大到足以破壞那道牆壁……」

這時，伴隨著激烈的衝擊聲，兩電極間發出閃電，水槽中傳來低沉的爆破聲。

「怎麼回事？」草薙想衝到水槽旁，湯川拉住他的手臂。

「在緊要關頭觸電死掉的話就太蠢了。」湯川又操作了一會兒機器後，拍了拍草薙的背。「好，去看看吧。」

兩人趕到水槽邊。草薙望向水中，驚訝地「啊」了一聲。

「似乎達成你的要求了。」

湯川雙手伸入水槽，拿起模特兒的頭。那張臉上牢牢地貼著薄薄的鋁片，他慎重其事地取下遞給草薙。

「這是你訂的東西。」

草薙接下那塊鋁片，仔細地檢視：它完美地轉印了模特兒臉上的凹凸。

「這是什麼機關……」

「衝擊波。」

「什麼？」

「由於一下子傳來過大的電流，電線中途斷裂了，就像保險絲燒斷一樣。」

湯川從水槽中拉起的電線，前端已溶化成圓形。草薙發現這與在葫蘆池畔撿到的電線相同。

「那時水中產生了強烈的衝擊波，周圍的物體全被往外推，鋁片便理所當然地貼向模特兒的臉部了。」

「所以出現了這個嗎？」草薙看著金屬面具喃喃自語。

「這雖是以往便很知名的技術，但幾乎沒人運用它做過什麼。我也是第一次進行這樣的實驗，算是獲益良多。」

「眞不可思議……」

「沒什麼好不可思議的，原本就會產生這樣的結果。之前我也說過，世上很多騷動都是流體的惡作劇，這次也是其中之一。」

「不，我不是那個意思。」草薙抬起頭說，「如果沒發現那副面具，便不會發現屍體，也不可能由打雷的情況推斷出案發的日期。如此推想，我不禁覺得是柿本進一的怨念以面具形態現身人世。不過你這麼討厭怪力亂神的事，一定認爲這是蠢話吧。」

草薙心想，反正湯川一定又要嘲笑自己。但湯川並沒有這麼做，相反地，他從白衣口袋裡取出一張折好的紙，似乎是某種文件的影本。

「還記得我剛聽說金屬面具的案件時，曾問你關於來福槍的事嗎？就是葫蘆池附近是否有人使用來福槍打獵的問題。」

「我記得，你爲什麼會提出這種問題？」

「坦白講，當時我便推測或許是水的衝擊波塑成面具，但卻想不出衝擊波產生的原因，才會懷疑是來福槍造成的。」

「來福槍能引發衝擊波嗎？」

「朝水中發射槍彈可以製造出同樣的衝擊波，只不過若要讓金屬成形，手槍辦不到，起碼得是來福槍才行。」

「嗯。」草薙無法想像，只能曖昧地點點頭。

「那又和這次的案件有什麼關係？」

「某所大學曾研發出一種技術，使用來福槍引發的衝擊波製作鑲金牙套。」湯川將手上的紙張遞給草薙。

「這是那份論文的影本，你看一下吧。」

「我看了也……」

「別說那麼多了。」湯川將紙張遞向前。

草薙大致瀏覽了一遍，不出所料，完全無法理解。

「這份論文怎麼了？」

「你看看發表者的名字。」

「發表者？」

草薙重複湯川的話後，看向論文標題旁，那裡並列著三個人的名字。見到第三個名字，他「啊」地叫了一聲。

上頭寫著「柿本進一」。

「被害者學生時代做過利用衝擊波使金屬成形的研究。」湯川興味盎然地說道，「慘遭殺害並被丟入池子後，他的靈魂想起以前研究過的技術，因而做出了那張金屬面具。你覺得這個故事如何？」

草薙瞬間愣了下，但隨即微笑回望物理學者。

「科學家不是從不相信這些怪力亂神的事嗎？」

「科學家偶爾也會開玩笑的。」

接著湯川轉身走向出口，白衣下襬隨之飄揚。

壞死

一

男人像在享受餘韻似地，不停撫摸著聰美的大腿。她毫不客氣地揮開他的手，拿起掛在椅子上的浴巾裹住身體、坐到鏡子前，接著從包包裡拿出梳子梳頭。糾結的頭髮發出斷裂聲。

男人轉動肥胖的身軀拿取桌上的菸盒，叼起一根後，以廉價打火機點火。最初交往時，聰美便看出這男人是個全身便宜貨的吝嗇鬼。

「之前提的事，妳考慮好了嗎？」男人躺在疊起的枕頭上問她。

「哪件事？」她邊梳頭髮邊應道。

「妳忘了嗎？就是同居的事。」

「啊，那件事。」她當然沒忘，只是想避而不談。「如果同居，你孩子會生氣吧。」

「沒問題的，他已經是大人了，最近根本都不回家，我老婆死後更是那樣。不論我做什麼，他都不會有怨言的。」

「是嗎？」

「聰美，」男人把香菸放進菸灰缸，爬過床從背後抱住她。「一起住吧，我一分鐘都不想離開妳。」

「你這樣說我是很高興啦……」

「那不就好了嗎？妳要什麼我都買給妳，還有……對了，妳借的錢也都一筆勾銷。妳想想，上哪找這麼好的事？」

「嗯，我再考慮考慮。」

「妳到底要考慮什麼？難道妳……」男人用力抓住聰美的肩膀：「有別的男人？」

「當然沒有啊。」聰美對映照在鏡中的男人一笑。

「眞的嗎？如果妳有別的男人，想跟我分手……」

「那就把錢還來——我知道。我很感激，絕對不會背叛你的。」

「拜託妳千萬不要背叛我，我只要一生氣，就不知道自己會做出什麼事。」他作勢掐住聰美的脖子。

內藤聰美的租屋在杉並區，是密集住宅地中的兩層公寓。她的住處在二樓最邊間，格局是一房一廳。

她正要走上樓梯時，腳踏車停車場的暗處晃出一道人影。

「聰美……」

突然被叫住，她愣在當場，凝神細看後，發現田上昇一站在黑暗中。

「嚇我一跳。你在這裡做什麼？」

「我在等妳。」田上的語氣一如往常般死氣沉沉，聰美不禁焦躁起來。

「不要擅自在這裡等我。有事的話，在公司談不就得了。」

「因爲，」田上露出怨恨的眼神，「妳答應下班後，要到小賣店前見我的啊。」

「啊，」聰美掩嘴，「是嗎？」

「妳早上說的。」

「對不起，我忘了。」

「沒關係……妳能不能陪我一下？喝個茶也行。」

「現在？明天不行嗎？我很累了。」

「一會兒就好。」

田上那種彷彿傾訴著什麼的眼神，令聰美心情鬱悶，但自己讓他等這麼久確實理虧，何況她想起自己也向他借了錢。

「真的只有一會兒喔。」她應道。

兩人走進車站前的咖啡廳。田上點了咖啡，聰美點了百威啤酒與炸薯條。

「你快講吧，我真的很累。」聰美不客氣地說完後，配著啤酒吃起薯條。

田上喝了口咖啡，挺直身子。

「我希望妳收下這個。」他把一個小盒子放到桌上。

「這是什麼？」

「別問了，打開看看。」

真麻煩，聰美邊想邊拿起盒子拆開包裝，裡頭放著一枚銀色戒指。

「我瞞著組長偷偷做的。」田上開心地說。

「嗯，你的手真巧。」

戒指上裝飾有小花與葉子，聰美心想：真是小女生風格的粗俗設計。

「妳應該明白我的感情吧。」田上說：「希望妳能和我一起回新潟，這是我一生的願望。」聽美故作無辜地看著他，打開皮包拿出萬寶路菸。她不曉得已聽過多少次同樣的話語，所以一點也不驚訝。

「回去新潟，然後呢？」

「我該成家了，我爸也說要讓我繼承家業。」

「成家」這種老式的講法，不知爲何出自田上口裡倒很相配，聽美覺得好笑，他明明才剛滿二十五歲。

「我應該拒絕過好幾次了，我還沒有結婚的打算。」

「別那麼說，認眞考慮一下吧。我一定會讓妳幸福的，爲了妳，我什麼都願意做。」

爲什麼我周圍的男人都這副德性呢？聽美感到一陣厭煩。這個田上，不過上過一次床，就以爲自己是他的女人。

但這個男人還可以簡單打發掉，麻煩的是另一個，得想想辦法才行——聽美腦中浮現才見面的男人臉孔。

「還是妳有什麼苦衷？」田上問。

「苦衷？」聽美偏過臉，吐出煙。

「就是不能結婚的苦衷啊。」

「我才……」沒有，話還沒說完，她閉上嘴，彈了彈菸灰。「是啊，也不能說沒有。」

「什麼事情？如果我幫得上忙，妳儘管說。」田上探出上半身。

看著田上認眞的神情，聰美不由得興起戲弄他的念頭，於是回道：「那麼，你願意爲我殺人嗎？」

「什麼？」

「有個男人一直纏著我，若要分手便得付一大筆錢，不過那是我無法負擔的金額。不和那男人清算，我是結不了婚的。」

「怎麼會……」果不其然，田上血色盡失。

聰美笑了出來：「騙你的啦，這當然是玩笑話，我怎麼可能想殺人。」

田上僵硬的表情稍微和緩。

「妳眞的在開玩笑吧？」

「當然，我才沒那麼傻呢。」聰美將香菸捻熄在菸灰缸裡。

聰美回到公寓時已過凌晨一點。

和田上分手後，她心情不禁惡劣起來，便獨自去喝酒散心。坐在吧檯的時候，接二連三地有男人來搭訕，但個個都是窮酸相。

她倒在床上。床邊的衣架掛滿了名牌服飾，正是害她陷入如今這般窘境的元兇。

此時電話突然響起，她邊狐疑這種時間會是誰，邊拿起話筒。

「喂，是我。」傳來田上的聲音。

「是你啊，又有什麼事？」

「嗯，聰美……」田上欲言又止。

「怎麼？我想睡了，有事快說。」

「抱歉。嗯……妳剛剛提的事，眞的是在開玩笑嗎？」

「什麼？」

「我後來想了很多，覺得妳可能眞的困擾到想殺了那個男人……」

「……你到底要說什麼？」

「如果妳眞想殺了他，我有個好方法。」

「好方法？」

「對，保證看起來就像病死，即使警察查出是他殺，也絕對找不到原因。」

「哦？」

「妳是認眞的話，我可以幫忙……」

「不要開玩笑了，晚安。」她掛斷電話。

二

高崎紀之隔了快五個月才又回到江東區的家裡。這是他在母親去世之後第一次回家，即便家裡的人要他回去參加法事，他也總藉口「大學很忙」打發掉。不過，他那只有高中畢業的父親，倒沒什麼怨言。

紀之非常憎恨父親邦夫。妻子和孩子就算只花一圓，他也要斤斤計較，對情婦卻一擲千金，毫不惋惜。如果責備他，邦夫就會回說：

「囉唆！也不想想錢是誰賺的？」

邦夫獨立經營一家超市，規模雖小，卻是他自認平生最值得誇耀的事。

紀之認爲母親會早死，全是由於有父親那樣的丈夫。邦夫想必只把妻子的死當成砍掉多餘的人事費用而已。

紀之目前就讀一所位在吉祥寺的大學。明明能從家裡通學，他卻選擇獨自住在學生公寓，就是因爲每天見到父親實在太痛苦了。邦夫每個月送來的生活費僅供他支付房租，託父親的福，兩年來，他大部分的時間都得打工養活自己。

父親如此吝嗇，所以紀之今天並非想向父親要錢，只是回來拿自己房裡的幾套電腦軟體。

穿過大門時，他看了一眼手表，下午兩點多了，平常這時候父親應該不在家。

然而玄關門竟然沒上鎖，他愣了一下。拉了拉門把，門便輕易地開了，他不禁咂舌，「什麼，老爸居然回來了？」

可是如果掉頭就走，再跑一趟實在麻煩，他想了想還是進去了。爲了知道父親在哪個房間，他豎耳細聽，卻沒聽見任何聲響。

紀之爬上樓梯，進到二樓自己的房間，把需要的東西裝進手邊紙袋。他心想，運氣好的話說不定不會碰到老爸。

他拿著行李悄悄下樓，仍舊沒有人的氣息。

經過走廊時，他朝洗手間半開的門內窺探了下。這裡也兼作浴室的更衣室，洗衣機上的籃子裡，放的應該是邦夫的衣物。

紀之不屑地撇了撇嘴，大白天就洗澡還眞愜意……

他不想和父親打招呼，打算直接離開，便躡手躡腳地走向玄關。

此時，電話突然響起。

紀之急忙穿上鞋子。由於考慮到洗澡時可能會有來電，家裡的無線電話子機就裝在洗手間牆上。

但那支子機卻沒被接起，電話響個不停。

紀之回頭望向浴室，邦夫不可能沒聽到電話鈴聲。難道邦夫根本不在浴室，也不在家裡？

紀之脫下鞋子，回到走廊，只聽見答錄機的訊息聲，接著傳出年輕男子的話聲：「我是XX不動產的森本，請問之前的事您考慮得如何？我會再和您聯絡。」然後是「嗶」的一聲。

紀之又探頭看了看洗手間，裡面和浴室的燈都亮著。

洗衣籃中的衣服，確實是邦夫的沒錯，他對這件品味很差的粉紅POLO衫有印象。

他看了一眼腳邊，發現一只骯髒的工作手套掉落在地。紀之不解地偏著頭，他記得父親的工作不需要接觸機油。

他推開浴室的門。

高崎邦夫躺在細長的浴缸中，兩腳伸直，雙手垂放在身側，倚靠浴缸邊緣的脖子以不自然的角度歪曲著。

紀之連忙關上門，拿起無線電話。他心臟激烈地跳動，但那不是恐懼或震驚的緣故。

他一心只想著，現實生活中居然會發生這種好事。

三

運動鞋底部摩擦體育館的地板便會「啾、啾」作響，有時還會傳來「咚」的低聲，那是往前踏步的聲音。不論哪一種，都令草薙懷念不已。

比賽採雙打制，湯川學隸屬其中一隊，接下來輪到他發球。

發球時，他擅長讓球低空飛過球網，落在接近場中央的位置。對手回敬了一記高遠球，湯川的同伴則從後方扣球反擊。雙方持續了一陣精采的你來我往後，機會來了。

湯川看似猛力揮動球拍，但球卻慢了一拍，緩緩落在敵方隊伍面前，對手只能望球興嘆。

裁判宣布比賽結束，雙方微笑著互相握手。

湯川正準備退場，草薙舉手向他打招呼。

「眞厲害，看來你寶刀未老。」草薙說，「我以爲你最後一定會扣球，沒想到是切球。」

「那是扣球喔，扣球。」

「咦？可是……」

「你看這個。」湯川把手上的球拍給草薙看，中間斷了條線。

「似乎剛好打到斷線的部分。居然錯看扣球爲切球，過去的名將也不行啦。」

草薙皺起眉頭，試著揮了幾下球拍，感覺非常好。

「偶爾也打打羽毛球如何？警察的道場不是柔道就是劍道，很無聊吧。」湯川邊以毛巾擦拭身體邊說道。

「竟然把警察的格鬥技訓練和物理系副教授的休閒活動相提並論……算了，等我手邊的工作結束後再找你比劃。」

「看你的表情，好像又碰上麻煩的案件了。」

「嗯，說麻煩確實挺麻煩的。」

「所以來找我商量嗎？」

「不，這次你恐怕沒辦法解決，因爲領域不同。」

「領域不同？」

「是啊，不管怎麼看，都是醫學方面的問題。」草薙從上衣內袋拿出一張拍立得照片。「這次的死者。」

湯川看著照片，沒有絲毫不快。

「如果有什麼幸福的死法，泡著澡死去應該也算其中之一吧。換成死在廁所的話，感覺很悽慘。」

「你看了屍體，沒發現什麼奇怪的地方嗎？」

「這個嘛，沒特別的外傷……胸口那個像瘀血的東西是什麼？」

「那就是問題所在。」草薙也跟著重新檢視照片。

照片上的屍體浸在浴缸中，死者名爲高崎邦夫，是個住在江東區的超市老闆。

發現屍體的是死者的兒子，但他並未立即報警，反而先打電話聯絡熟識的醫生，請對方到家

裡來。也就是說，當時死者的兒子做夢都沒想到有他殺的可能性。

高崎邦夫的心臟不好，知道這件事的醫生接到通知時，起初推測是心臟病發作，但看過屍體之後，覺得狀況實在太怪異，便決定向警方報案。

轄區警署的調查人員立刻趕往現場，然而他們也無法判定死因究竟是意外、生病，還是他殺所致，負責人於是連絡了警視廳。

警視廳派遣刑事調查官前往現場，數名搜查人員隨行，草薙是其中之一。

「那麼，刑事調查官的看法是？」湯川興味十足地問道。

「他表示第一次見到這種屍體。」

「哦？」

「最簡單的答案是洗澡時心臟病發，導致死亡。因爲沒有掙扎的痕跡，一般而言這樣的推測大家都能接受。」

「但卻有不尋常的地方。」

「就是胸部的瘀血。」草薙指著照片的某個部分。

高崎邦夫的右胸有塊直徑十公分左右的瘀血，由於呈現灰色，不太可能是燒傷或內出血留下的痕跡。他兒子也證實胸口不該有瘀血。

「解剖後發現了令人驚訝的事情。」

「是什麼？別裝模作樣，快告訴我。」

「灰色部分的細胞全壞死了。」

「壞死？」

「當然，人一死，皮膚細胞也會很快死去。但這瘀血卻不是這種情形，反倒像遭受瞬間衝擊而壞死。」

「瞬間啊，」湯川擦完身體後，將毛巾收進運動背包。「不是什麼特殊疾病造成的嗎？」

「執刀解剖的醫生表示沒聽過這樣的病。」

「使用藥物的可能性呢？」

「沒檢測出任何藥物，也不知道是否真存在那種藥。總之，排除那塊瘀血，死者確實是因心臟麻痺身亡。」

「如果只引起心臟麻痺，也不是沒辦法。」湯川喃喃自語。

「觸電死亡對吧？這點我們也想過，例如把插電的檯燈丟入浴缸，但這方法的確實致死率太低。我不清楚細節，不過似乎與電流的路徑有關。」

「在最短路徑的兩電極間，電流密度最高。要使人觸電休克而亡，必須將心臟隔在那路徑的中央設定電線才行。」

「專家們還說，即使是觸電死亡，也絕不會出現如同這次事件的瘀血。」

「看來你們已經舉手投降了，是嗎？」湯川露出看好戲般的笑容。

「所以想轉換一下心情，來看看你的臉。」

「不嫌棄的話，就隨便你看。」

「你接下來還有事嗎？沒有的話，好久沒一起喝一杯了。」

「我沒問題，不過發生了這麼麻煩的案件，你去喝酒好嗎？」

「就是不曉得究竟算不算案件，才傷腦筋啊。」草薙說道。

兩人前往學生時代羽毛球社練習後常去的居酒屋。站在櫃檯後的老闆娘還記得草薙的長相，以非常懷念的口吻和他聊了起來。當她聽到草薙目前是刑警，還發表了奇怪的感想：「是嗎？當時你看上去人最好，眞是人不可貌相啊。」

聊了些往事後，話題又回到那具奇怪的屍體。

「會是有人嫉恨那個超市老闆嗎？」湯川邊將生魚片送到嘴裡邊問道。

「據他兒子表示可能性很大。他的店面小歸小，卻是白手起家闖出來的，爲了錢似乎也做過不少骯髒事，但具體情況並不清楚。」話聲一落，草薙吃起柳葉魚。

「除了那個離奇的死因之外，還有什麼不自然的地方嗎？」

「沒有其他不自然的地方。推測死亡時間在發現屍體的前晚十一點到凌晨一點，是正常的入浴時間。室內沒有遭到破壞的痕跡，也沒有爭吵的跡象，只有玄關的門未鎖上這點較可疑。死者高崎邦夫自五個月前妻子去世後便形同獨居，照理洗澡前應該會仔細檢查門窗，他兒子也說，高崎相當注重這些細節。」

「說不定剛好那天忘記。」

「這也有可能。」草薙點頭，喝光了啤酒。

湯川邊往草薙的杯裡倒啤酒邊竊笑。

「幹嘛？又怎麼了？別那副討人厭的樣子。」草薙說。

「抱歉，我只是想到，這種情況如果下出現了嫌犯，你打算怎麼辦？」

「什麼意思？」草薙也往湯川的杯子倒酒。

「因爲不曉得犯案手法就無法深入調查呀，要是嫌犯反問『既然刑警先生認爲我是犯人，那麼請說明我是怎麼做的』，你會如何應對？」

面對湯川半開玩笑的問題，草薙皺起了眉頭。

「辦這個案子時，我會離偵訊室遠一點的。」

「嗯。」

兩人喝掉四瓶啤酒後，起身離開店裡。

走出店外，草薙看了看手表，才剛過九點。

「要不要續攤？」草薙說：「偶爾去一下銀座如何？」

湯川像聽到什麼笑話似地大笑：「怎麼？你拿到獎金啦？」

「死者高崎常去銀座的一家店，我想到那裡看看。」

高崎家的信箱中，有封寄自那家店的信，裡面裝著帳單。上面列出的金額多到兒子紀之斷然表示：「我那小氣的老爸不可能單爲喝酒花這麼多錢。」因此，警方推測邦夫迷上了那家店的某個小姐。

「我原想你請客的話就去，」湯川掏著上衣口袋找錢包，「不過偶爾亂花錢也沒什麼不好，反正我們都沒家庭可破壞嘛。」

「還是早點建立一個值得守護的家庭吧。」草薙輕拍湯川的背。

四

這家店叫「curious」，內部的裝潢頗時髦，氣氛優雅。微暗的燈光下，並排著數張桌子。長髮的年輕女子走近兩人桌邊，像要確認般地詢問兩人是否第一次到店裡。

「是高崎介紹的。」草薙邊以濕手巾擦手邊說，「他很常來吧？」

「請問是哪位高崎先生？」女子有點驚訝地睜大眼睛。

「就是開超市的高崎呀。」

「什麼？」女子交互看著草薙和湯川，往前探出身子，壓低音量道：「兩位不知道嗎？」

「知道什麼？」

「高崎先生啊……」女子稍微留意了下周圍動靜後繼續道，「死了。」

「咦？」草薙誇張地瞪大雙眼，「眞的嗎？」

「眞的，就在兩、三天前。」

「我完全沒聽說哪。喂，你知道嗎？」草薙故意問湯川。

「第一次聽說。」湯川面無表情地回答。

「怎麼死的？生病嗎？」草薙問公關小姐。

「還不確定怎麼死的，據傳是心臟痲痺，好像是他兒子發現他死在家中浴室。」

「妳還眞清楚。」

「媽媽桑看到報紙嚇了一大跳，拿給我們看的。」

「這樣喔。」

草薙曉得發現屍體的隔天，早報有一小角刊登了高崎邦夫離奇死亡的新聞。

「兩位客人和高崎先生是什麼關係呢？」

「算酒肉朋友吧。不過連他死了都不知道，大概也不能算朋友吧。」

「兩位在哪高就？」

「我的工作？普通的上班族而已。不過這位不一樣，他可是帝都大學物理系的副教授，也是未來的諾貝爾獎候補人選喲。」聽草薙這樣介紹湯川，女子「哇」地發出感歎。

「好厲害喔。」

「沒什麼好厲害的。」湯川冷淡地應道，「我也不是什麼諾貝爾獎候補人選。」

「別謙虛了，對了，讓她看看你的名片吧。」草薙說道，「搞不好人家根本不相信我們。」

這是在向湯川暗示「爲了讓對方鬆懈，你就幫幫我吧」，察覺這點的湯川心不甘情不願地將名片遞給女子。

「哇！好厲害。物理系第十三研究室，是在研究什麼呢？」

「我打算用牛頓式的展開，研究相對論與達爾文的進化論。」

「哦，那是什麼？聽起來好難喔。」

「換句話說，就是對一般人一點屁用也沒有的研究。」湯川不高興地把兌水威士忌拿到嘴邊。

「高崎來的時候，都是找妳嗎？」草薙問女子。

「我陪過高崎，不過他幾乎都找Satomi，似乎很喜歡她。」

「是哪一個？」

「坐在那邊，穿黑色衣服的。」

草薙順著對方指的方向望去，穿著黑色迷你裙套裝的女子正在接待別的客人。她大概只有二十出頭，直長髮垂到肩下。

「方便請她待會兒過來一下嗎？」

「好啊。」

這個希望約在十分鐘後達成，Satomi的客人早早離開了。

草薙重複與剛才相同的內容，解除了Satomi的戒心，甚至連Satomi是本名，漢字寫成「聰美」都問出來了。

「說起來，人眞是無法預料下一秒會發生什麼事啊，那麼有精神的高崎居然就這樣死在浴室裡。」草薙大大地嘆了口氣。

「我也嚇了一大跳。」聰美應道。

「妳也是看報紙才知道的嗎？」

「是的。」

「這樣啊，那妳肯定嚇壞了。」

「嗯，我當時眞不敢相信呢。」聰美微噘著嘴。

這個女人的言行舉止都給人懶洋洋的感覺。草薙心想，現在化了妝看不出來，但如果白天見面，她肯定是一臉想睡的樣子。不過，他知道不少男人會受這種女人吸引，而這種女人也不一定總是慢半拍，這是他長期和罪犯打交道累積的經驗。

草薙觀察著聰美以拋棄式打火機點菸的模樣，她右手的中指和無名指戴著戒指。

「妳白天在做什麼工作？」湯川突然從旁插嘴。

「咦？白天嗎？」

「對，妳有別的工作吧？」

可能受湯川不由分說的口氣影響，聰美微微頷首。

「什麼工作？」草薙也試著問道，「一般的粉領族嗎？」

「是的。」

「我來猜猜是哪種行業的公司吧。」湯川說道，「製造業，也就是工廠。」

聰美不停地眨眼。

「你怎麼曉得？」

「嗯，這算物理學的基本常識吧。」

聰美正想對湯川的話應些什麼時，有人叫喚她的名字。她說了句「失陪一下」後，便離開座位。

草薙迅速以手帕拿起她放在桌上的拋棄式打火機，上面印有「curious」的店名。

「現場發現不少被害者之外的指紋嗎？」湯川似乎察覺到草薙的目的，開口問道。

「找到了幾個。」草薙邊回答邊將手帕包裹的打火機收進口袋。

「即使是他殺，我也不認爲現在的犯人會笨到留下指紋。不過，錯了也沒差。」

「不起眼的努力有時也會立大功的。」

「眞是這樣就好了。倒是你剛剛……」草薙壓低話聲，「怎麼知道她在工廠上班？」

「我推測她如果有正職，應該是從事製造業，且工作場所在工廠內。但她不是作業員，大概在作業區擔任行政工作。」

「所以啦，你到底怎麼知道的？」

「髮型是原因之一。她明明是直髮，上半部卻有不自然的分段，那想必是帽子的痕跡。從在公司裡得戴帽子一事判斷，她的工作場所很可能是作業區。」

「電梯小姐和櫃檯小姐也會戴帽子啊。」

「若是這樣，被問到是否爲一般粉領族時，便不會只單純地回答『是』。還有，她頭髮沾著細微的金屬粉末，那是在滿天灰塵的職場工作的女性煩惱之一。」

草薙直盯著物理學者。「觀察得眞仔細，虧你一副對女人沒興趣的樣子。」

「沒必要的話，我不會觀察得這麼仔細。你今天到這裡不就爲了調查她嗎？」

「是沒錯啦。對了，也順便告訴我，爲什麼她不是作業員吧。」

「這個最簡單，因爲她的指甲太長了，又不像假指甲，那樣沒辦法做生產線的工作。」

「原來如此。」

聽到「作業區」這三個字，草薙想起一件事，高崎紀之在家中洗手間發現了一只沒見過的工作手套。工廠的話，一定常使用工作手套。

聰美回來後，說了句「抱歉」便坐回原位。

「妳在怎樣的公司工作？」草薙問。

「我嗎？嗯……很普通啦，我在當會計。」

「是喔。」

草薙看向湯川，湯川以聰美無法察覺的幅度微微搖頭，以眼神暗示「她在說謊」。

之後兩人又喝了兩、三杯兌水威士忌，離開了店裡。結帳的金額足夠兩人在常去的居酒屋喝上五回。

聰美一直送兩人到店外，湯川攔住正好經過的計程車。

「公關小姐的工作也很辛苦哪。」坐上車後湯川開口。

「不過薪水很多。」

「但會碰上奇怪的客人啊。」湯川回頭。「好比那樣的男人。」

「什麼？」草薙也跟著回頭。年輕男子似乎正在向聰美攀談，而她則一副厭煩的表情。

「那個年輕人一直躲在店旁。」湯川說道，「大概是喜歡她，才會守在那裡等她出來吧。」

「看起來不像客人。」

「嗯，也不像情人。」

計程車轉向後，便看不見那兩人了。

五

送走高崎的兩個朋友後，田上昇一突然出現，嚇了聰美一跳。她很想假裝沒看見他，直接去搭電梯，不巧田上就站在她正對面。

「聰美……」他微弱地叫著。

「你來這裡幹嘛？」

「因爲我打電話給妳都是電話錄音，在公司也一直沒機會見到妳。」

「你怎麼知道我在這裡上班？」

「那是我之前……」

「跟蹤過我？」

田上輕輕點頭，聰美說了句「太扯了」後，別過臉。

「呃……我想把這個給妳。」他遞出一個小袋子。

「什麼啊？」

「打開就知道了。」

「是嗎？那我待會兒再看。你只有這件事吧。」聰美留意著周圍的動靜，邁步向前。如果店裡的客人看見這副情景，不知道會說她什麼。

「啊，等一下。」田上叫住了她。

「還有什麼事？」

田上不顧聰美故意露出的厭煩表情，親暱地走近她，小聲道：「那件事好像很順利呢。」
「那件事？」聰美皺起眉頭，「你在說什麼？」
「就是那件事啊，我在報上看到了。」田上從牛仔褲口袋裡抽出紙片，在聰美眼前攤開。
那是一張剪報，**「超市老闆於浴室中意外身亡，死法怪異」**的標題映入聰美眼簾。
「等、等，等一下。」聰美奪下他手中的報紙，推著他躲到一旁樓梯的陰影處。
「別開玩笑了，我和這件事無關。」她細細撕碎那張剪報。
「但妳不是向我借那個東西嗎？所以我才特地送到妳家啊。」田上話還沒完，聰美便開始搖頭。
「我前陣子心情確實有點煩躁，才會對你那奇怪的提議起了興趣。不過我馬上就冷靜下來，告訴自己千萬別做蠢事。」
「眞的嗎？」田上雙眼游移不定。「我看了剛剛的報導，還以爲一定是妳做的。」
「才不是。我想殺的不是那個人，而且我昨天不是把那東西宅配給你了嗎？」
「我知道，今天收到了。可是，妳確實曾將那東西拿出箱子吧？包裝的方式不太一樣，裡面的工作手套也少了一只。」
「工作手套？」聰美愣了一下。
「就是工廠用的工作手套啊。」
聰美咬著下唇。她一緊張便會這樣，但仍盡力在田上面前保持冷靜。
「我只是好奇才拿出來看看，大概那時候不小心落下了，應該還在我家，要的話再寄還給

你。」

「不用啦，那個無所謂，我才不在乎什麼工作手套。這樣啊，我以爲是妳用了那東西。因爲案發現場是浴室，而且只有胸口的皮膚壞死，跟我預想的一樣……」

「都說不是我了，你很煩耶。」聰美很快地打斷他的話。

田上立刻露出懦弱的表情。

「不是就好。」

這時，一旁的電梯門開了，別家店的小姐和客人一起下樓。

「好了，我很忙，你不要再來這裡了。」聰美說完隨即走進電梯，按下「關」的按鈕。

不久，兩扇電梯門擋住了田上仍舊依依不捨的視線。

聰美壓住胸口，心中餘悸猶存。

田上昇一竟能從那麼小的報導聯想到自己，是她的失誤。不，應該說這件事會上報，根本就在她的計算之外。

「這世上還無人利用這個行凶過，所以絕不可能被察覺是他殺。」田上把那東西借給聰美時曾如此斷言，還說「大概只能判定爲心臟痲痺吧」。聽了這句話，聰美決定下手。

如果只是單純的心臟痲痺便不會上報，田上也無從知道她究竟有沒有下手。這麼一來，只要堅稱自己並未使用，就能避免把柄落在田上手上——這是聰美的想法。

她盡力重振精神，雖然有點危險，但似乎瞞過田上了。而且他好像沒用那個殺過人，也不曉得屍體到底會是什麼樣子。

她心想，不能在這裡跌倒，勝負才剛要開始。

她想起殺害高崎邦夫時的情景。儘管感覺很不可思議，但至今她仍不害怕，也不後悔，只有一切順利進行的安心感充斥她的胸口。

泡在浴缸裡的高崎，看到聰美拿那東西進浴室時，一點也不驚訝。由於事前聰美便告訴高崎是洗澡時使用的健康器材，所以當聰美將那東西靠近他胸口時，他做夢也沒想到自己會在幾秒後停止心跳，始終都淫邪地笑著。

不可能有其他更輕鬆的殺人方式了，田上眞是借了自己好東西——聰美心想。

出了電梯後，聰美發現自己還拿著田上給的紙袋。她趁進店前瞄了裡面一眼，露出不高興的表情。

紙袋裡，裝著田上自製的胸針。

六

去了「curious」的隔天下午四點過後，草薙單獨前往位在埼玉縣新座市的東西電機股份有限公司分廠，他查出這裡是內藤聰美白天的工作場所。他原想更早行動，但直到下午兩點才聯絡上「curious」的媽媽桑，打聽到相關情報。

草薙在正門塡完訪客名冊，借了內部電話，打到聰美任職的樣品部第一課。他向負責的課長表明自己的身分，表示想請教部門裡的某些事，希望能和員工談話。聽草薙這麼說，課長立刻緊張地問：「我們課裡有什麼不對勁嗎？」

「不，不是你們課牽扯上案件，應該說是有事想諮詢，不曉得有沒有人能抽空和我談談？我知道大家都很忙……」

「原來如此，那麼找誰好呢？男性員工應該比較方便吧。」

「是的。」草薙答道。要調查聰美的事，其實女性員工比較好，但萬一是聰美本人來就傷腦筋了。

「那麼我會派個人過去。」課長說完掛斷了電話。

在警衛室前等了五分鐘後，一名年約四十五歲的矮個子男人無精打采地走來，自我介紹是組長小野寺。草薙心想，原來如此，現場最容易抽出時間的似乎就是組長了。

「嗯……請問我該說些什麼呢？」小野寺搔著戴工作帽的腦袋問道。莫名奇妙被遣來和刑警見面，他想必很困惑。

「希望你能告訴我一些工作上的事。」草薙擺出溫和的表情。「像是工作內容或工作人員的事。」

「啊……是這樣嗎？」組長的手這下換放到脖子上。「那麼，要不要看看我們的工作現場？」

「可以嗎？」

「我已經取得許可了。那麼，能否請您戴上這個？」小野寺遞給草薙寫著「參觀者」的帽子及沒有度數的安全眼鏡。

小野寺表示他工作的地方在樣品部工廠。所謂樣品部，如字面所示是製作零件或產品樣品的單位，而小野寺待的第一課，則以製造電子零件的樣品爲主。

「啊，對了，你看過這個嗎？」走向工廠的途中，草薙從上衣口袋拿出塑膠袋，裡面裝著高崎紀之在洗手間發現的工作手套。

「這只手套嗎？」小野寺盯著看了一會兒，偏著頭回道：「看起來和我們工廠用的一樣，但這種手套差不多都是這個樣子。」

「說的也是。」這答案不出草薙所料，由於原本就沒抱什麼期待，草薙隨即將塑膠袋收回口袋。

樣品工廠相當寬敞，足夠容納兩到三座一般規模的體育館。廣大的地板上並排著車床、鑽孔機等工作器械。各單位間並未多做區隔，只在天花板上掛著「第一課」等牌子供辨認。草薙覺得與其說這裡是自動化作業工廠，不如說是大型下游工廠。

「沒看到像生產線的地方呢。」草薙對小野寺說道。

「那當然了。所謂的生產線，在設計完成、決定大量生產之後才會有。我們是試作連設計者本身都還沒把握成功的東西，也就是僅此一件的手工樣品。」

「聽起來很困難。」

「沒錯。因爲常應要求製作一些高難度的東西，這裡擁有最尖端的設備。例如，要做一片沒有固定形狀的鐵板時，不可能爲一件樣品特別開模，便會使用雷射切斷機。」小野寺有些洋洋得意，似乎對自己的工作相當驕傲。

操作機器的員工毫無例外都是男性，不過在標示爲「線圈組」的單位中，做著小型線圈的全是年輕女性，不論男女都戴著帽子與安全眼鏡。草薙不禁佩服起湯川那對看穿內藤聰美白天工作場所的慧眼。

「樣品部第一課沒有辦公室之類的地方嗎？」

「包括第一課，樣品部各課的辦公室都在工廠最裡面，我帶您去看看吧。」

「這樣啊。」草薙考慮了一會兒後點點頭，「那就麻煩了。」

草薙之所以猶豫，是想到萬一遇上內藤聰美該怎麼辦，不過他決定船到橋頭自然直，等眞的碰到再說。

進辦公室後，小野寺向樣品部第一課的課長介紹草薙。草薙迅速環視辦公室內部，還好內藤聰美不在這裡。

姓伊勢的課長固執地追問草薙究竟在調查什麼。他不得已只好拿出剛才的工作手套，表示這只手套掉在某個案發現場。

「爲什麼會從這只手套找到我們公司呢？」伊勢提出了理所當然的疑問。

「這是機密。不過我們不光調查貴公司，請放心。」草薙很快收起塑膠袋，「對了，請問你們課裡有女員工嗎？」

「你是指女作業員嗎？」

「不，不是……」

「那麼是職員嘍。有啊，有個叫內藤的。」伊勢看了下周圍。

「現在剛好上頭的人找她過去，不在這裡。」

「她是怎樣的人？」

「怎樣的人？嗯，就是普通的女孩子啊。」

「周圍都是男性，她應該挺受歡迎的吧。」

「這個嘛……」伊勢露出了黃板牙。

「她曾和公司的人交往嗎？」

「嗯……我沒聽說過。請問，內藤有什麼問題嗎？」

「沒有，純粹只是好奇。」

草薙不認爲這名中年男子了解內藤聰美的本性，倒是他從進來便發現有個女員工一直注意著這邊。那是個在稍遠座位上寫東西的短髮女子。

草薙禮貌性地謝過伊勢後起身，還留在現場的小野寺原想送草薙到門口，但他婉拒了。走過短髮女子身後時，草薙注意到她手邊的電話，話筒上的四位數字應該是內線電話號碼，他牢記在心。

草薙一出辦公室，便立刻用附近的電話撥打剛記住的號碼。透過窗玻璃，他看見短髮女子接起了電話。

怕她受驚嚇，草薙愼重表明自己的身分後，表示由於某些原因，必須瞞著伊勢課長向她請教內藤聰美的事。不出所料，她乾脆地答應了，大概是從剛才就被好奇心撩撥得受不了了。

她要草薙在工廠外的休息處稍等一會兒。草薙走到那裡，買了自動販賣機的咖啡後，她才小跑步現身。

她名叫橋本妙子，隸屬樣品部第二課。草薙和她同坐在休息處的長椅上。

「其實是有個人死得很不尋常，我們正在調查相關者的情報，其中一人就是內藤聰美。」草薙判斷可以對她透露某種程度的眞話後，如此說道。

「那個人是男的吧？」橋本妙子的小眼發出光芒。

「妳爲什麼會這麼想？」

「難道不是嗎？」

「站在我的立場，不能告訴妳太多，不過我也不否認就是了。」

「我就知道。」橋本興致勃勃地點頭。

「聽妳這麼說，難道內藤小姐的男女關係很複雜嗎？」

「應該是。她雖然在公司都一副乖巧的樣子，但很多人都看過她跟不認識的男人走在鬧區。」

「這樣啊。」草薙心想，從橋本的口吻聽來，她並不知道聰美在酒店兼差當公關小姐。「她有沒有固定交往的對象呢？」

「我不清楚，最起碼公司裡沒有，她常說對廠內的男人沒興趣。」

「是嗎？」

「她說，要結婚的話就要嫁給東京出身的精英分子，明明自己只有高中畢業，還是從新潟來的。」橋本妙子撇了撇嘴。

「她自視很高吧。」

「就是啊。」橋本用力點頭，「別課有人去過她家，說她房裡的名牌都堆積成山了。可是……」她壓低話聲，「聽說她刷爆很多卡，破產了。」

「眞的嗎？」

「因爲她找人商量過這件事。」

「那麼，解決了嗎？」

「好像是。大家都很好奇，不曉得她怎麼解決的，明明原本背著好幾百萬的債。」

「眞誇張。」

「對吧。」妙子睜大雙眼。

光在那家店上班是沒辦法還清債務的，草薙想起「curious」店內的情況。

草薙和妙子一起走出休息處，正要道謝離開時，她突然指著某個方向，悄聲道：

「那個男的也很迷戀聰美喔。」

草薙順著妙子所指的方向望去，一個穿工作服的年輕男子正推著台車走過。

他就是那時在「curious」外等待聰美的年輕人。

七

這天，內藤聰美懷著憂喜參半的心情前往「curious」上班。

喜的是她和松山文彥的交往十分順利，今天部長也爲了這件事找她過去。

松山文彥是總公司生產技術部的員工，但他可不是普通員工，而是東西電機的承包廠商松山製作所的小開，將來會回到父親的公司。換句話說，他目前是以研修的形式在東西電機上班。東西電機的人事部很早便知道這件事，會讓他到生產技術部工作，也是因爲這個部門和松山製作所關係最密切。

松山文彥似乎是在兩個月前，爲協調一些事去了好幾趟新座工廠時，認識聰美並心生好感的。

十天前，松山透過部長向聰美傳達了交往的請求。

聰美雖然知道松山文彥這個人，卻做夢也沒想到他居然會喜歡自己。更何況，她完全不曉得他的身分特別，因此對他毫無興趣。

但從部長那裡了解詳情後，她便在意起松山文彥，認爲這是一生中老天賜給自己最好的機會。

部長問她兩件事，一是有無交往的對象，二是有無意願與松山交往。

她當場回答「沒有固定交往的對象」，接著表示希望能仔細考慮再答覆。

所以，今天部長才會找她過去，想聽她的回覆。聰美故作羞澀地答道：「可以試著交往看看」，部長則春風滿面地說了許多簡直是祝福兩人結婚的話。

沉醉在幸福中的聰美，離開部長辦公室後沒多久就遇上了不愉快的事。吹來那陣陰風的是隔壁課的橋本妙子。橋本乍見之下親切可人，實際上卻很陰險。聰美非常討厭這個大自己一歲的前輩。

今天也是如此，聰美一回座位，妙子便親暱地對她說：「剛剛你們課裡來了奇怪的客人喔。」

「咦，是怎樣的人呢？」

「那個人啊，」妙子放低嗓音，「是警察。」

聰美嚇了一大跳，但仍裝得一臉平靜。

「眞的嗎？發生什麼事了？」

「他好像在調查殺人事件。」

「什麼？」聰美的身體開始發熱。

「然後，不知爲何他還特別找我問話耶。妳猜他問什麼？」

看著妙子嘴裡閃現的紅舌，聰美想到了蛇。

「我猜不出來，他問什麼？」

「他問的是……」妙子話聲更加低沉，「妳的事情喔，像有沒有男朋友、個性是不是很誇張之類的。」

聰美答不上話，她想不出刑警調查自己的原因。

「不過，放心吧。」妙子說，「我都講好話，稱讚妳是個好女孩，刑警先生似乎都相信了。」

「非常謝謝妳。」

妙子聽聰美這麼回應後，掛著勝利的表情回到座位。聰美看著她的背影，不由得一陣反胃。

她估量妙子絕不可能有什麼好話，得覺悟刑警總有一天會找上門。

不過沒關係，因爲根本沒有證據……

聰美殺害高崎邦夫時，已從他平日隨身攜帶的小提包中拿走所有借據。她並未留下指紋，也無人知曉她和高崎的特殊關係。

重新打起精神後，她一如往常地接待酒醉的客人，內心考慮著差不多該辭掉店裡的工作了。除了東西電機禁止兼差之外，萬一在這種地方陪酒的事被公司的人知道，對她和松山文彥的交往肯定會有不好的影響。

得找時間和媽媽桑提——聰美正如此盤算的時候，突然有人輕拍她的肩膀，原來是店裡的前輩亞佐美。

「吧檯那個人好像有話跟妳說。」亞佐美附耳低語，以大拇指比了比吧檯的方向。

聰美想著會是誰，邊望向吧檯，不禁臉色一沉。

田上昇一穿著一點也不適合他的西裝，看向她這裡。

八

環狀磁鐵上飄浮著以錫箔包覆、看似小石頭的物體，周圍空氣中的水蒸氣凝結，形成冉冉上升的白煙。

那小石頭其實是超導體，用液態氮冷卻後，再以絕熱物質和錫箔包裹。

身穿白衣的湯川拿小鉗子不斷地將超導體朝磁鐵推近、拉開。這麼一來，超導體便又飄浮於磁鐵上方，不過兩者的距離較先前縮短了些。

湯川以指尖捏起磁鐵，使兩者位置顛倒，但超導體仍與磁鐵保持距離，飄浮在下方。無論湯川如何調整磁鐵的角度，超導體和磁鐵的相對位置就像被隱形的金屬零件固定住，毫無改變。

「這是超導體的抗磁性，簡而言之，就是利用磁力固定在空間中。目前也有人打算將它應用在線性馬達上。」湯川邊說邊將磁鐵和超導體放到桌上。

「科學家常想出新點子呢。」草薙佩服不已。

「比起『想出』，『找出』的情況更多。從這個角度來看，科學家可說是開拓者。倘若認爲科學家總是關在研究室裡空想，那就大錯特錯了。」

「既然你這麼講，就幫忙找出點什麼吧。」草薙將湯川掛在椅子上的外套丟給他。

「如果眞有那個『什麼』的話。」湯川應道。

這天，草薙是爲了帶湯川去看高崎邦夫陳屍的浴室，才造訪帝都大學。由於警方仍舊未能解開高崎的死因，湯川是最後的希望了。

草薙讓湯川坐上愛車SKYLINE的副駕駛座後，便前往江東區。途中，草薙想起了一件事。

「不介意我繞去某個地方吧。」

「麥當勞的得來速嗎？」

「是更有情調的地方啦。」

草薙要去的是當初在「curious」接待過他們的公關小姐——河合亞佐美的住處。他想向她打聽內藤聰美的事，便從「curious」的媽媽桑那裡問出了住址。

「我在這裡等你。」抵達河合亞佐美居住的大廈時，湯川動也不動地說道。
「別這樣，跟我一起去吧，她一定比較記得你。」
「反正等她曉得你是刑警後，肯定會心生警戒。」
「所以我才特地找你一起來啊。」
河合亞佐美還在家裡。前來應門的她，穿著T恤和牛仔褲，臉上沒有化妝，多了幾分稚氣。她還記得草薙，知道他實際身分是警察後，露出了不滿的表情。
「你明明說是上班族。」
「反正刑警也是拿人薪水的，沒差吧。不過他眞的是大學副教授。」草薙指著一旁的湯川。
「其實，這次來是希望妳告訴我一些內藤聰美的事。」
「什麼啊，原來你的目標是聰美？」
「也沒到那種程度啦。不過，她眞的欠債嗎？」
「嗯，我聽她稍微提過，好像貸款付得很辛苦。」
「那現在怎麼樣了呢？」
「嗯……她最近都不再說這些事，可能找到辦法了吧。」
「跟店裡借錢嗎？」
亞佐美笑得晃著肩膀說：「媽媽桑才不是那種會借錢給兼差小姐的好人。」
這時，房裡走出一隻灰貓。
「哦，是俄羅斯藍貓。」湯川低頭看著貓說道。

「老師，你很厲害嘛。」亞佐美抱起貓。

草薙瞥見貓的頸環上垂著看似胸針的東西，便說：「明明是貓還戴那麼漂亮的東西。」

「那個啊，是聰美給我的。」

「她給的？」

「公司裡有個一直在追她的男人，好像是那個人做給她的。因爲太醜了，她便把它給我，可是我也不想戴，就當作尼歐的首飾了。」

尼歐似乎是貓的名字。

「哦，這男人手很巧嘛。」

胸針的圓金屬片上浮雕著女性的側臉。

「抱歉，我看一下。」湯川取過胸針，「這是矽晶片啊。」

「矽？」

「就是半導體的材料，虧他有辦法在這麼硬的東西上雕刻。」

「大概用了什麼工具吧，工廠裡應該有各式各樣的機械。」

「說的也是……」

此時，湯川眼裡掠過一道銳光。不，是草薙看來如此。

「原來是這樣，」物理學者說道，「明白了，我解開那具奇怪屍體的謎了。」

「眞的嗎？」

「大概吧。去一趟工廠，或許能找到確實的證據。」

「那現在就走吧。啊，今天是星期六，可能放假。」

「作業區應該是輪休制，總之先去看看。對了……」湯川望向亞佐美，「這個胸針可以借我嗎？」

「好的，請。」亞佐美從貓的頸環取下胸針，「呃……請問究竟是怎麼回事呢？」

「我有了新發現，就是這麼回事。」湯川答道。

九

田上昇一的公寓位於志木市。打開窗戶，正後方就是樹林，巨大橡樹的枝幹伸手可及。

內藤聰美坐在田上拿出來的舊坐墊上環顧室內，除了分別爲四張半和六張榻榻米大的兩間和室，還有鋪著木頭地板的小廚房。牆上貼著之前很受歡迎的女性偶像海報，書架則放滿了電視卡通的錄影帶。

「不知道合不合妳的胃口。」田上邊這麼說，邊端著放了紅茶和蛋糕的托盤走過來。

「看起來好好吃。」

「我買了很多，不要客氣。」

「謝謝。」

「眞高興妳願意來我家，這樣好有結婚的感覺喔。」

田上的話讓聰美瞬間起了雞皮疙瘩，不過她還是繼續親切地微笑著。

「我想跟你好好談一談，明天可以去你家嗎？」昨天聰美主動對又來「curious」的田上提出要求。

這當然是有理由的，因爲之前田上對她如此說道：

「聰美，我聽說了，高崎邦夫是這家店的常客，而且都捧妳的場，對吧？那麼，那件事果然是妳做的，沒錯吧？」

既然田上知道這麼多內幕，她自然很難再蒙混過去。如果放著不管，萬一警方逼問他，事情就更麻煩了。聰美爲了一次解決這個問題，和田上約好今天在他家見面。

「對了，你帶那個來了嗎？」聰美拿著茶杯問道。

「那個？」

「就是那個啊，你知道的……」

「啊啊。」田上點頭，起身走向玄關。

聰美打開暗中帶來的安眠藥藥袋，迅速倒進田上杯裡。白色粉末很快沉了下去，那是她向店裡常客要的。

「我照妳的話拿回來了，看。」田上提著一個大袋子走回來。

「我今天一大早去工廠偷拿的。」

「要你跑這一趟，眞不好意思。」

「沒關係。不過妳想確認什麼呢？別擔心，警察絕對想不到這是凶器。」田上的心情非常愉快。

「如果是這樣就好了。」

「不要緊，只要我不講出去絕對沒問題。那麼我就是聰美的同夥囉。讓妳受苦的傢伙死了最好，那個人是大壞蛋吧。」

「是啊。」

「那種男人當然該死。既然他的心都壞死了，乾脆讓他連皮膚也一起壞死吧。」田上說完，一口氣喝光了紅茶。

十

「你說是超音波造成的？」草薙握著方向盤，看向副駕駛座。兩人此時正前往東西電機的埼玉分廠。

「沒錯，就是超音波。」湯川看著前方應道，「會出現那麼奇怪的瘀血，是超音波的關係。」

「超音波能做到那種事啊？」

「這是使用方法的問題。不是有超音波療法嗎？如果妥善使用，超音波對人體健康也有幫助。」

「若使用方法錯誤，就會變成凶器嗎？」

「正是如此。」湯川點頭。「超音波傳入水中產生負壓，生成空洞或氣泡。壓力由負轉正的瞬間，空洞會消失，引發強烈的破壞作用。利用這個原理，可進行寶石或超硬質合金的加工。」

他接著取出剛才的胸針。「這個矽晶片一定是利用超音波加工而成的。」

「力量眞有那麼強大？」

「強大到令人害怕。」湯川答道，「所謂超音波療法，可以想成按壓次數極多的按摩，不過連續對同一個地方進行長時間放射的話十分危險，一不小心，說不定連內臟都會開個洞，也可能造成神經麻痺。」

「皮膚細胞壞死呢？」

「機率很高。」

聽了湯川的回答，草薙氣得拍打方向盤。

「既然你都知道，怎麼沒早點想到是超音波呢？」

「別強人所難了，我根本沒料到那麼特殊的東西居然近在眼前。」

「我完全無法想像犯人究竟是如何實行的？」

「這是我個人的想像。」湯川先說了這句開場白，「應該是將超音波加工機的增幅器，靠近浴缸中的被害者胸前。」

「增幅器？」

「就是振動的部分。」

「那東西容易操作嗎？」

「小型增幅器和吹風機差不多大，以電線連接電源。電源種類很多，應該也有像手提保險箱大小的。」

草薙再度欽佩起湯川的無所不知。

「那麼，把那個增幅器靠近胸口後呢？」

「打開電源，就這麼簡單。」湯川直截了當地說道，「增幅器前端會劇烈地產生氣泡，不停壓迫被害者胸口，同時超音波傳經水、皮膚和體液，最後到達心臟。超音波強烈的震動會立刻麻痺心臟。」

「一瞬間嗎？」

「肯定不需要花太多時間。」

草薙搖著頭想，好厲害的殺人手法。

一抵達工廠，草薙即刻前往樣品部第一課的製作現場。他已打電話確認過，今天輪到小野寺他們值班。

「超音波嗎？」小野寺看著草薙和湯川。

「你們應該有可以加工這個的機器。」湯川遞出胸針。

「啊，這是壓力感應器用的矽晶片。」小野寺直盯著胸針，「你們看，這裡有很多一公厘的小洞吧，沒錯，這確實是超音波造成的。」

「那個機器在哪裡？」

「呃，在這裡。」

小野寺舉步向前，草薙和湯川緊跟在後。

「就是這個。」

小野寺指的是固定在水槽中的超音波加工機。爲了同時打出很多洞，增幅器的前端裝置了許多針，宛如劍山。

「不是，這個電源太大，很難帶著走。」湯川自言自語後問小野寺：「沒有其他超音波加工機了嗎？」

「不，還有很多像超音波溶接機啦，超音波研磨機等等。」

「有可以輕易帶著走的嗎？」

「可以帶著走的……」小野寺搔著頭說，「會是那個嗎？」

「有嗎？」

「嗯……」小野寺看向一旁的鐵架，上頭放著測量器與瓦楞紙箱。「咦？奇怪了。」他不解地偏著頭，問身邊的作業員，「喂，迷你超音波拿到哪裡去了？」

「沒在架上嗎？」年輕的作業員也看著鐵架，「奇怪，我記得應該放在這裡。」

「保管那個的是田上吧？」

「對。」

「田上？」草薙重新問了一次，「田上昇一嗎？」

「你認識？」小野寺一臉意外地回頭。

「嗯，聽過這個人。」就是橋本妙子說的暗戀內藤聰美的男人。「那部機器是由田上管理嗎？」

「是啊，他是最熟那部機器的人。」

「他現在人在哪裡？」

「他今天休假。」

「休假……」草薙心中閃過一抹不祥的預感。「田上住在什麼地方？」

十一

田上持續打著小呵欠。

「奇怪，怎麼這麼想睡？」

「要不要躺一下？」聰美問。

「不用了，沒關係。」但話一說完，他又打了呵欠。「眼睛好像眞的睜不開了。」

「如果那麼想睡，」聰美討好似地看著他，「要不要去洗個澡？」

「洗澡？」

「嗯，我想這能讓你清醒過來。而且，」聰美刻意微微皺起眉頭，「你的身體也有點臭味。」

「是嗎？」田上聞了聞自己的腋下。

「去洗個澡吧。」聰美再度開口，「今天要做吧？」

「嗯，是啊……」田上起身，搖搖晃晃地走向浴室。「那我就洗一下吧。」

田上才走進浴室，又立刻出來，像是去打開水龍頭。

「浴缸的水要放多久才會滿？」

「嗯，大概十五分鐘吧。」田上說完，就坐在榻榻米上打起瞌睡。

聰美在座墊上正襟危坐，極力地忍耐，等待時間過去。田上已經完全睡著了。

過了十四分鐘，她搖醒田上。

「喂，別在這裡睡，快去洗澡啊。」

「啊，抱歉、抱歉。」

田上搓著臉脫下衣服，緩緩走進浴室。

聰美將耳朵貼在浴室門板上，偷聽裡面的狀況。一開始還聽得見水流聲，但隨即便什麼也聽不到了。

「喂，」她算準時間出聲，「你還醒著嗎？」

然而裡面沒有回應，她悄悄打開門。

田上頭枕在浴缸邊緣，雙眼閉上，看來是睡熟了。

聰美躡手躡腳地走近田上帶回的運動背包，打開一看，裝著一個紙箱。她掀開蓋子，先前用過的超音波加工機就在裡頭。

她還記得使用方法：先將超音波加工機的電線接上電源箱，再將電源箱的電線插上家裡的插座，接下來只要按下加工機的開關即可。

聰美正要從箱子裡拿出機器時，冷不防被人從後面抱住。

「妳果然還是打算殺我。」

田上的身體濡濕了聰美的背部，他的力氣非常大，聰美無法掙脫。

「不，不是這樣的，拜託你聽我說。」

「不行，我不會再聽妳的話，虧我這麼相信妳。」

他一把抓住書架上的透明膠帶，俐落地將她的雙手扳到身後，以膠帶捆住手腕。聰美的手動不了。

「等一下，你誤會了。拜託你，放了我。」

聰美拚命請求，但田上似乎完全沒聽進去。他同樣以膠帶捆住她的雙腳，讓她完全無法動彈。

田上抱著她走進浴室，直接放進浴缸。

她放聲尖叫。「你要做什麼？」

「爲了妳好，最好別亂叫。」

田上再度走出浴室。聰美看見田上回來時拿的東西，嚇得雙眼往上吊，那是超音波加工機。

「我給妳改過自新的機會。」他說道，「如果妳答應和我結婚，且保證絕對不背叛，我就原諒妳。如果妳說不……」他把機器靠近她胸口，可樂瓶形狀的銀色增幅器輕觸水面。「我只有打開開關了。」

聰美激烈地掙扎。

「救救我！求求你，救救我！」

「妳答應嗎？」

「我答應，不論你說什麼我都答應，求求你，不要殺我！」

田上低頭看著她，沉默了好一會兒。他那宛如死魚般毫無情感的雙眼，令聰美覺得噁心。

「不，」他說道，「妳不是真心的。妳只是不想死而已，看來我還是只能這麼做了。」他再次將增幅器拿近她的胸口。

此時，玄關電鈴響起。

十二

草薙按了兩次電鈴，都無人回應。

「不在家嗎？」他說道。

「可是廚房的窗戶開著。」湯川站在窗戶下方，伸直了身子，突然臉色大變。

「怎麼了？」草薙問。

「慘叫聲。」湯川說道，「我聽見女人的慘叫聲。」

「什麼!?」草薙想拉開大門，門卻緊緊地鎖上了，還是撞也撞不開的鐵製材質。

「這樣比較合理吧。」湯川將廚房的窗戶大開，就地蹲下，作勢要草薙踏著自己爬進去。

「抱歉。」草薙一踩上湯川的肩膀，湯川便將草薙的上半身推進窗內。

室內不見人影，但他隨即聽到浴室傳來呻吟聲。草薙打開浴室的門。

全裸男子正襲擊穿著衣服的年輕女人。女人全身濕淋淋的，像奮力要從浴缸爬出，卻遭男人強壓回去。

草薙一把抓住男子的肩膀，將他拖出浴室。男子一屁股跌坐在榻榻米上。

女人下半身浸在浴缸內，臉部抽蓄，兩人都不停地喘著氣。

「到底是怎麼回事？」草薙看著兩人。

湯川好不容易才從窗戶爬進來，他緩緩靠近浴室，以手帕撿起掉落在地的超音波加工機。

「似乎能聽到有趣的故事。」湯川說道。

草薙看著全裸的男子，男子則盯著女人。

「眞正壞死的，」男子自言自語道，「其實是妳的心。」

草薙望向女人，女人緩緩沉入水中，閉上了雙眼。

爆炸

一

望遠鏡的焦點是穿藍色泳衣的女人。

女人抬起上半身，坐在看起來像廉價品的塑膠墊上，戴著或許是香奈兒的深色太陽眼鏡。

她身邊躺著一個同樣也戴著太陽眼鏡的男人，全身油亮亮地，似乎塗滿了防曬油，浮現肋骨形狀的胸口微微泛紅。

女人似乎沒有做日光浴的意思，隨著遮陽傘的陰影變化不停地調整位置。不斷塗抹在手腳上的想必是防曬乳。

但今天的陽光實在強烈，女人突然想起什麼似地調整了一下泳衣的肩帶，皮膚立刻浮現出白色的痕跡。

女人皺起眉頭對男人說了些什麼，可能是「一直待在這裡，皮膚會受傷的」。男人還是躺著，笑答了幾句，大概是「妳說想到海邊，我才帶妳來的啊」。

「人家沒想到太陽會這麼大嘛，明明都九月了。」

「妳在說什麼，接下來的日子紫外線會愈來愈強。」

正當「他」邊用望遠鏡偷窺，邊暗自幫兩人配音的時候，女人放下掛在肩膀的毛巾，脫下太陽眼鏡站起身，而後拿起一旁的充氣式海灘氣墊。

「我要去游泳，你呢？」

「不了，妳去就好。」

女人穿著海灘拖鞋走向海邊。

他放下望遠鏡，以肉眼確認女人的位置。雖說已經九月了，但週日的湘南海邊仍到處是情侶和全家出遊的旅客，再加上今年流行藍色泳衣，他費了一番功夫才發現女人的蹤影。

女人趁浪打上岸時脫了鞋，光腳抱著氣墊走進海裡。

他打開身邊的冰桶蓋子，取出以塑膠袋防水的「那個東西」，緩緩起身。

梅里律子不擅長游泳，卻非常喜歡海。抓著海灘氣墊隨波逐流的時候，她總沉浸在大自然的美好中，甚至覺得時間的流逝比平常慢了許多。

婚前丈夫尚彥還住在藤澤，卻常像現在這樣帶自己來海邊。兩人大多在橫濱約會，但只要律子一說「我想去海邊」，尚彥便立刻改變行程，開著PAJERO前往海水浴場，所以PAJERO的後座總是放著兩人的泳衣。

這麼悠哉的兩人世界可能不長了，律子心想。婚後一年，兩人還沒有孩子，恐怕得開始認眞考慮這件事。除了雙方父母非常囉唆外，自己的年齡也是問題，律子今年已經二十九歲了。

她非常想學衝浪或潛水，但想到生孩子的事，便不得不忍耐下來。沒辦法，她告訴自己，目前的生活很幸福，如果打算生孩子，總是得犧牲掉一兩樣興趣。

今天的天氣眞是好得不得了——律子躺在海灘氣墊上，閉上雙眼就彷彿躺在巨大的水床上，濡濕寒冷的肌膚也立刻暖和起來。

突然，有什麼東西撞了上來，她睜開雙眼，似乎有人潛在氣墊正下方。

一陣水花揚起，一名戴著蛙鏡的短髮年輕男子冒出水面。

「抱歉。」

男人簡短地說完便又潛入水中，不知道游往哪裡了。

律子察覺剛才瞬間掠過腦中的想法，不禁苦笑。年輕男子出現時，她以爲對方要向自己搭訕。幾年前的確有可能，但過了二十五歲後，就再也沒有這種經驗了。

她要自己別胡思亂想，畢竟現在是該定下心的年齡了。

所以才要準備生孩子……

回過神來，她發現自己已被海浪帶到離岸邊很遠的地方，周圍也沒什麼人。律子移動雙腳，改變方向。

這時，某個東西襲擊了她。

梅里尙彥目擊了那一瞬間。

事情發生前，他正好稍坐起身，搜尋著浮在海面上的妻子蹤影。粉紅色的海灘氣墊非常顯眼，他很快就找到律子了。她還是和以前一樣癱在氣墊上，在海浪間載浮載沉。

他叼著一根Caster Mild菸，以Zippo打火機點燃，拿剛才喝光的可樂空罐當菸灰缸。

他抽著菸，遠眺妻子的模樣。有個男人似乎在跟她交談，不過立刻就消失了。

他心想，這傢伙還眞笨哪——此時律子正慌張地改變方向，看來終於發現只有自己被帶離岸邊了。

尙彥吐出煙霧，就在那一瞬間……

妻子的身影隨著突然響起的巨大爆炸聲成爲火柱。

黃色火柱看似從海中冒出，強大的衝擊力使附近海水瞬間變成白色。而後，更小的火柱彈出了水面。

一開始，海水浴場中的遊客皆因爆炸聲呆立當場，絲毫不明白發生了什麼事，只是茫然地望著火柱。

但下一瞬間，所有人都陷入驚慌，慘叫、怒吼、尖叫聲競相四起。梅里尙彥想起了史蒂芬．史匹柏的《大白鯊》。電影中的人是逃離鯊魚，如今則是逃離火柱。

之所以想起這部電影，是因他完全無法了解眼前的狀況，失去了思考能力。他仍坐在海灘氣墊上，手夾點燃的Caster Mild，望向剛剛妻子漂浮著的海面，尋找她的蹤影。

海面上恢復了平靜，只剩細小的白色泡沫描繪著幾圈同心圓。

周圍的人不知在叫喊些什麼，但全都傳不進尙彥耳中。

他好不容易才站起身，搖搖晃晃地走向海邊，依然不清楚究竟發生了什麼事，只能確定大家都上岸了，唯獨他的妻子沒回來。

「律子，妳在哪裡？」

不久，尙彥的視線捕捉到海面上的某種物體，似乎是粉紅色塑膠袋。

那一剎那，他想起那是律子用的海灘氣墊的顏色。

二

當加藤敏夫得知坂上公寓的房客打電話來時，心裡湧現一股不祥的預感。由於那是棟屋齡十年的公寓，既非高級大廈，也不特別注重隱私權，加上其中單身者居多，房客之間的摩擦時有所聞。東京都的垃圾回收新法已施行多年，房客卻幾乎無人遵守。

果然不出加藤所料，住在一樓的主婦氣沖沖地打來向加藤抱怨樓上陽臺滴水，床單都白洗了。

「嗯，住在上面的是藤川先生吧，他不在嗎？」

「就是不在我才打電話給你啊，快點處理！」主婦歇斯底里地大吼。

「好、好，我立刻過去。」

加藤掛掉電話，皺著眉頭找尋坂上公寓的鑰匙。那個藤川雄一也是單身，不過目前爲止沒惹出什麼問題。他只在簽約時見過藤川，印象中是個沉默寡言的青年。

加藤把店裡的工作交代給其他員工，便開著小貨車出門。加藤不動產是他父親創始的店。

「離三鷹車站徒步七分鐘，全新建築」是坂上公寓的宣傳標語。徒步七分鐘不是謊言，但任誰看到那灰撲撲的公寓外牆，都不免對「全新建築」這種用詞心生反感。由於靠近幹道，牆壁都被汽車廢氣薰黑了。

他走到看得見陽台的地方確認滴水的位置，立刻便曉得原因出在哪裡——藤川房間的冷氣排水管鬆脫了。根據樓下的主婦表示，藤川似乎不在家，冷氣的室外機卻仍在運轉。加藤心想，不知他到底是忘了關，還是天氣太熱才故意放冷氣開著去上班？

不論哪種狀況，他都不能不管，於是拿出了房東專用的鑰匙爬上樓梯。

藤川住在二〇三號室，門上信箱塞著兩三天份的報紙。這樣看來，可能去旅行或出差了，應該是忘了關冷氣。

加藤以自己的鑰匙開鎖，瞬間有股不好的預感。

屋內是一房一廳，走進玄關，左邊是流理台，裡面是五張榻榻米大的西式房間，但分隔房間和餐廳的拉門緊閉，看不到房裡的狀況。

加藤脫掉鞋子，進入室內。他不清楚究竟爲什麼自己會如此不舒服。

打開拉門前，他終於察覺原因，是臭味。有股難以言喻、令人不快的臭味從門縫飄散出來。

他想著「不會吧……」推開了拉門。

有個穿著運動短褲和T恤的人俯臥在房間正中央，白T恤上描繪著黑地圖般的圖案，細看才發現那是從被打破的頭部流出來的血。

兩秒後，加藤慌張地大步後退，一屁股跌坐在餐廳的地板中間。

三

貼在門上的布告板，顯示湯川學目前去向不明，因爲不論是上課、實驗室、外出、休假，每一欄都是空白的。草薙俊平不經意地往門下一看，發現一塊藍色磁鐵掉落在地。他撿起磁鐵，敲了敲房門。

開門的是個染了褐髮的年輕人，眉毛修得非常整齊。三十四歲的草薙心想，最近的理工科學生也變得這麼時髦了啊。

他問對方「湯川在嗎？」學生或許是覺得這個直呼副教授名字的可疑男人相當不可思議，一臉意外地應著「嗯……」，點了點頭。

「他似乎很忙，那我等一下再來。」

「不，我想沒關係。」褐髮年輕人敞開門請草薙進去。

草薙一進門，便聽見湯川學微帶鼻音的話聲：

「若壓縮鋼瓶沉沒了，便要思考它爲何破裂、內容物又是什麼；若是某處破損導致腐蝕，便要想想爲何氣體沒先漏出來，而氣體燃燒的原因又是什麼。」

湯川此刻正坐在椅子上，和三名學生談話。草薙心想，打擾上課就不好了，但湯川已注意到他。

「哦，剛好有位客人出現了。」

「沒有打擾到你們嗎？」

「沒關係，課程結束了，我們正在閒聊。我也想聽聽你的意見。」

「什麼事？你一定又想讓我這個理工白癡出醜吧。」

「你會不會出醜我不知道，我們是在聊這件事。」湯川將桌上的報紙遞給草薙。這是一週前的報紙，社會新聞版特別朝上折起。

「湘南海岸的爆炸事件嗎？」草薙看著報導問道。

「我正在和學生進行知性的挑戰，替那個事件找出合理的說明。」

聽到副教授這麼說，包含替草薙開門的年輕人在內的四名學生，似乎都有點坐立不安。

「關於那個事件，警視廳也收集了一些情報，說不定和哪裡的恐怖組織有關。」

「他們認爲是恐怖分子放置炸彈的嗎？」

「不排除這個可能性，總要以防萬一嘛。」

「神奈川縣警的看法如何？」

「我不清楚，畢竟東京跟神奈川的關係惡劣啊。」草薙苦笑，這是警方彼此間的矛盾。「據我所知，那邊也是百思不解。最關鍵的一點，似乎是現場沒留下爆炸物的痕跡。」

「會不會沖到海裡了？」一名學生說道。

「這也難說。」草薙不當場反駁年輕人的意見，心裡卻想著，如果眞有什麼炸彈，神奈川縣警不可能沒發現。

「警方將這視爲犯罪案件嗎？」湯川問。

「基本上朝凶殺案的方向偵辦，畢竟那樣的狀況不可能是自然現象吧？」

「所以我們才在討論啊。」副教授笑咪咪地看著學生。

「不過沒有結論就是了。」

這時下課鐘響，學生全部起身，看來課程結束了。湯川則留在研究室。

「對他們來說眞是救命的鐘聲哪。」草薙往其中一名學生坐過的椅子坐下。

「只列出公式解答問題可不是科學，像這種時候正是運用智慧思考的大好機會啊。」湯川起

身，捲起袖子，「好了，你要不要來杯即溶咖啡？」

「不用了，我馬上要去別的地方。」

「什麼？這樣啊。很近嗎？」

「說近確實也很近，就在這棟建築物裡。」

「哦？」湯川黑框眼鏡後的雙眸圓睜，「什麼意思？」

「這裡沒有今天的報紙嗎？不是那種一星期前的舊報紙。」草薙環顧周遭，桌面都雜亂無章地散置著資料和藍圖，似乎沒有今天的報紙。

「如果發生什麼可當教材的案件，我才會帶來。是什麼事？」

「三鷹的某公寓發現他殺屍體。」草薙翻開記事本，「二十五歲，男性，名叫藤川雄一，原本是上班族。發現者是管理公寓的房屋仲介老闆，死亡時間大約三天。」

「我昨晚看到這則新聞報導了。天氣這麼熱，屍體應該很快就腐敗了吧，眞同情發現的人。」

「即使如此，犯人還是把冷氣開著不管，大概多少想防止腐壞的屍臭漏散吧。只不過，最近的高溫完全超出犯人的預料。」

「眞的是熱死了。」湯川癟著嘴，「對知性的勞動者來說，炎熱是輕忽不得的大敵。高溫會破壞記憶。」

草薙心想，要是眞那麼熱，脫掉白衣不就好了？但他決定保持沉默。

「你有沒有聽過被害者藤川雄一這個人？」草薙問湯川。

湯川一臉莫名其妙。

「我爲什麼要認識凶殺案件的被害人？他是名人嗎？」

「不，只是普通人，不過我認爲你可能認識他。」

「爲什麼？」

「他是這所帝都大學理工部的畢業生，大概是兩年前畢業的吧。」

「哦，這樣嗎？電視新聞沒講那麼多。哪個系呢？」

「我記得是能源工學系。」草薙看著記事本答道。

「能工系嗎？那或許上過我的課。可是很抱歉，我沒印象。換句話說，他的成績並不突出。」

「他給人的印象是不起眼、不善交際。」

「這樣啊。你特別到被害者的母校，想必有特別的理由吧。」湯川推了推眼鏡，這是他對事物產生興趣時的習慣。

「也許不是什麼大不了的理由。」草薙從上衣口袋拿出一張照片，「我們在藤川房裡發現了這個。」

「嗯……」湯川看著照片，皺起眉頭，「這是這棟建築旁的停車場嘛。」

「託認識你的福，我來這裡的機會變多了，所以一看照片就知道是這邊的停車場。其他人很感激我呢，畢竟要查出這拍的究竟是什麼地方得費不少功夫。」

「或許吧。照片上的拍攝日期爲八月三十日，那是兩星期前了。」

「換句話說，藤川是在那天返校的，我們想知道他回來的原因。」

「可能是參加過什麼社團，以畢業學長的身分回來的吧。」

草薙和湯川學生時代是羽毛球社的社員。

「我和藤川大學時的朋友聯絡過了，他不曾加入任何社團。」

「不是社團的話，」湯川兩手交抱胸前。「是幫企業徵才嗎？不過時機也太晚了。」

「就算不晚，也絕不是企業徵才。」草薙斬釘截鐵地說。

「爲什麼？」

「我剛剛不是提了嗎？他『原本』是上班族。藤川似乎在七月底辭掉了工作。」

「所以他現在沒工作嗎？那麼，他是想請老師幫忙介紹新工作才回來的嗎？」湯川不解地偏，將照片還給草薙。「但爲什麼要拍停車場的照片呢？」

「我才想問呢。」草薙看著照片應道。照片上的停車場可容納二十輛車，卻只停了幾輛，沒什麼特別之處。

藤川雄一大學時代應該是能源工學系第五研究室的學生。聽草薙這麼一說，湯川便表示他和那邊姓松田的助理教授很熟。

「松田是物理系畢業的，和我同屆。」通過往第五研究室的走廊時，湯川說道。

「第五研究室研究的是什麼呢？」草薙問。

「我記得第五研究室的主要研究題目是熱交換系統。松田應該是專攻熱力學。」

「熱力學？」

「簡而言之，就是研究熱與物體之間熱力性質的學問。從宏觀的角度來研究的話是熱力學，從原子或分子等微觀立場來研究的話便是統計力學，不過沒必要分開來看。」

「喔……」

早知道就不問了，草薙想。

到達第五研究室門口時，湯川說了句「你在這裡等一下」，便敲也不敲地逕自開門進去。約一分鐘後，門再度打開，湯川露出臉說：「講好了，他願意接受你的訪問。」

草薙道過謝，走進室內。

這裡是研究室兼實驗室，四處散放著草薙完全無法理解的測量器和各種裝置。窗旁的桌前站著一個瘦削的男人，身上的短袖襯衫扣子一直開到胸口。這個房間確實很熱。湯川介紹兩人認識，男人叫松田武久。

草薙和湯川並肩在折疊式的鐵椅坐下。

「沒想到湯川有當刑警的朋友。」松田看著草薙的名片笑道，他的話聲沒有抑揚頓挫。見草薙拿出手帕，他露出微笑：「抱歉，這裡很熱吧。我正在做實驗。」

「不，沒關係……」

草薙原想問是什麼實驗，最後還是作罷，反正聽了也不懂。

「你要問藤川的事情吧。」松田主動開口，似乎不想浪費時間。

「你知道這個案子嗎？」

面對草薙的問題，臉頰瘦削的助理教授點頭。

「我昨晚看新聞時沒發現是藤川，今天早上一個畢業的學生特地打電話通知，我才想起來。」接著松田轉向湯川，「我剛剛才和橫森老師談過這件事。」

「是嗎？直到他告訴我後，我才曉得被害者是我們學校的畢業生。」湯川指著草薙說道。

「橫森老師也很驚訝吧？」

「是啊，他不光曾指導藤川寫畢業研究專題，還幫忙過就業的事。」

「請問……」草薙插嘴問，「橫森老師是……？」

「我們研究室的教授。」松田答道。他表示，藤川雄一那屆大四生的就業輔導老師，便是第五研究室的橫森教授。

「請問你最近見過藤川嗎？」草薙問松田。

「他上個月來過這裡。」

草薙想，果然如此。

「那是什麼時候？」

「我記得是月中，大概是中元節之前。」

「月中嗎？回來的原因是……？」

「感覺沒什麼特別的事，只是順便逛一下。由於畢業生返校很平常，我並未特別留意。」

「他說了什麼嗎？」

「說了什麼啊……」松田想了一會兒後抬起頭，「對了，他提到公司的事情，他好像辭職了。」

「我知道，他任職於仁科工學技術，沒錯吧。」

「仁科雖是小公司，不過並不差。」松田看著湯川，「橫森老師對他辭掉工作的事似乎有點在意。」

「原來如此。」湯川點頭。

「什麼意思？」

「晚點再告訴你。」湯川對草薙眨了眨眼。

草薙嘆口氣後，又望向松田。

「藤川對辭職的事說了些什麼？」

「他沒有說得很詳細，我也不好開口問。不過他表示要重新開始，我也就安心了，要他有什麼問題再找我商量。」

松田附加說明，當天藤川並未具體談到希望老師幫忙再找工作，之後也沒有任何聯絡。

「這麼說，藤川此後便沒再來訪？」

「是的。」

「眞奇怪。」湯川出聲道，「他上個月底應該來過的。」

「不，我沒碰到他。」松田說。

草薙遞出方才的照片，松田看了露出訝異的表情。

「是這裡的停車場嘛。這張照片怎麼了？」

「我們在藤川房裡找到的。你看，日期是八月三十日沒錯吧？」

「沒錯。」松田歪著頭，「他爲什麼要拍這樣的照片呢？」

「請問，你認爲藤川還可能去校園中的哪些地方？」

「這個嘛……我記得他不曾參加社團，所以不是很清楚他會去哪裡。留級生或研究生中或許有人認識他，不過我不曉得有哪些人。」

「這樣嗎？」草薙再度收起照片，「請問橫森教授今天在嗎？」

「他早上還在，但下午外出，今天應該不會回來了。」

「那我只好再跑一趟。」草薙對湯川使個眼色，於是湯川站了起來。

「很抱歉沒能幫上忙。」松田向草薙道歉。

「最後再請教一件事。關於這次的案件，你有沒有什麼頭緒？不論怎樣的小事都可以。」

面對草薙的詢問，松田露出極力思索的表情，最後還是搖搖頭。

「他是很老實、認眞的學生，我不認爲他會遭人怨恨。此外，我想沒人會因殺了他而得到好處。」

草薙點點頭，道過謝後起身。這時，他瞥見一旁的垃圾桶裡棄置著報紙，便隨手撿起。

「哦，眞有趣。老師也對這則新聞有興趣嗎？」草薙將報紙遞給松田，上面刊登著那件發生在湘南的爆炸案。

「那是橫森老師帶來的。」松田說道，「不過那個案子的確很不可思議。」

「你怎麼看那起案件？」湯川問。

「這個嘛，我完全沒有頭緒。炸藥應該是念化學的人的專門。」

「那件事不是發生在我們轄區內，我們可是鬆了一大口氣。」草薙笑著將報紙放回垃圾桶。

「仁科工學技術公司主要生產管線設備。不過，可別以爲是普通的水管線或下水道，他們生產的是像火力發電所或核能發電所使用的熱交換機那種大型管線設備。而橫森教授是那家公司的技術顧問之一，因此若有學生想入社，只要他一通電話就沒問題。」出了第五研究室，湯川邊下樓梯邊說。

「那麼，藤川是透過教授的介紹才進去那家公司的嘍。」

「很有可能，但情況或許相反。」

「怎麼說？」

「也可能是仁科工學技術拜託教授介紹優秀的學生啊。現在雖是就業冰河期，知名度不高的公司還是不容易找到好人才。」

「如果是教授推薦的就沒話講了，但重要的還是學生本人的想法吧？」

「提到這點可尷尬了，說是大四生，其實根本還只是孩子。鮮少學生對自己該進什麼公司、想做什麼工作有具體的概念，因此只要教授強力推薦，便會有人迷迷糊糊地踏入教授介紹的地方。只是不知道藤川會不會也屬於這種類型。」

「也許他進公司兩年就辭職，正是這個原因吧。」

兩人出了建築物，走到停車場。停車場幾近正方形，四周圍著鐵絲網，但似乎可以自由進出，目前停了十三輛車。

「原則上，學生的車不能停這裡，如果開放馬上就會停滿。最近的學生實在太奢侈了。」湯川說道。

草薙拿照片比對實際場景，移動腳步。看樣子藤川是隔著道路，從對面建築物內拍攝的。

「老師，您在做什麼？」一名年輕人邊問邊走近湯川，他的長髮髮紮在腦後。「車子被人惡作劇了嗎？」

「我沒車子，打算要買一輛，所以在看停車場裡哪種車子比較好。」

「您要跟木島老師和橫森老師打對台嗎？」

「啊，我想起來了，那兩位最近換了新車嘛，是哪兩輛？」湯川環視著停車場中的車子問道。

「現在好像都沒停在這裡。」學生看了一眼後說，「木島老師是ＢＭＷ，橫森老師是賓士喔。」

「聽到了嗎?當教授眞賺錢。」湯川大大地攤開手。

草薙看著照片，上頭的數輛車裡，確實有ＢＭＷ和賓士，兩輛都閃耀著新車的光芒。

他讓學生看照片。

「沒錯，這兩輛就是老師他們的新車。」學生高興地說完後，偏著頭。

「這張照片該不會是那時候拍的吧？」

「那時候？」

「忘了確切日期，有個不認識的男人拿著相機拍這一帶的照片。啊，好像就是上個月三十日。」

草薙和湯川對望一眼，急忙掏出藤川雄一的照片。

「是這個人嗎？」草薙問。

學生看著照片，輕輕點頭。

「大概是這副模樣，不過沒把握絕對是他。」

「他除了拍照之外，還做了什麼？」

「還做了什麼啊……我沒持續留意，所以不記得了。不過，他跟我講過話喔。」

「咦？跟你講話？」

「是啊。對，想起來了，他也提到關於車子的事。」

「車子的事？」

「他問我哪一輛是橫森教授的車，我告訴他是灰色的賓士。」

草薙看向湯川，年輕的物理系副教授摸著下巴，眺望遠方。

四

藤川雄一房裡有兩座約與草薙同高的鐵製書架，滿滿排列著專門用書與科學雜誌。草薙原以爲那些都是大學時代的書，沒想到其中也有高中參考書和教科書，甚至還有大學聯考的模擬試題集，不禁吃了一驚。從藤川將這些書整理得這麼乾淨整齊看來，他可能想留下自己求學的軌跡，才刻意沒丟掉吧。

草薙心想，這世上的怪人還眞多。當年看到大學合格榜單的隔天，他就在院子裡把所有考試相關書籍都燒光了。

「沒什麼特別的發現呢。」後輩根岸刑警檢查著藤川桌子的抽屜，在草薙身後說道。

「所以，他下個工作還沒著落嘍？」草薙盤腿坐在地上，抬頭看著書架。兩人正在找尋公司簡介和針對二次就業者的雜誌。

在這裡發現屍體是兩天前的事了，今天白天，草薙和根岸一同前往兩個地方進行調查。首先是仁科工學技術的川崎分廠，七月底之前藤川都在那裡工作。

「他辭職得很突然，事前都沒和我商量，拿著不知何時準備的公司制式辭呈來找我，只說了『課長，請蓋章』。」圓臉課長有點不滿地噘起嘴。「理由嗎？他本人似乎覺得自己不適合目前的工作。開什麼玩笑嘛，又不是每個人都能找到自己想做的工作。今年四月，公司內部大幅調動，他被調到設計部，負責設計大樓等建築物的空調設備。他之前待的部門嗎？是開發生產設備，不過基本上工作內容應該沒什麼改變。總之，他太任性了，我一火大，便對他說『眞那麼想辭職就隨便你』。」

和藤川最熟的同事，說法也差不多。

「他似乎從一開始就不喜歡這家公司。四月調了部門後這種情況更明顯，任誰都看得出來他毫無幹勁，不曉得發生了什麼事情。」

接下來，草薙兩人去見帝都大學的橫森教授。他因參加研討會而到了一家新宿的飯店，三人便在飯店的酒吧會面。

「確實是我介紹藤川到仁科工學技術工作的。」小個子的禿頭教授以有點高亢的嗓音說：「但我並未強迫他，只是勸他若要從事和畢業研究相關的熱交換系統工作，可以去那家公司。」

橫森教授可能沒料到自己會遭受懷疑，刻意表現出自信十足的態度。

「上個月中旬，藤川似乎造訪了貴研究室，請問那時候他說了些什麼呢？」草薙問。

「沒什麼特別的，只說辭掉我特意介紹的公司很抱歉。既然他那麼說了，我也只能要他快點找到新工作。」

「只有這樣嗎？」

「是的，不行嗎？」橫森明顯表露不滿。

草薙最後問橫森，對於藤川拍了停車場照片及尋找他車子兩件事的看法。

小個子教授回答：「我完全沒有頭緒，什麼都不知道。」

結束會面後，草薙兩人再次回到藤川的房間，想找找有無他辭職的線索及之後的預定計畫。但完全找不到這方面的蛛絲馬跡。

草薙嘆了口氣站起身，進廁所小便。他看到浴缸上方吊著一條洗衣繩，上頭晾著泳褲，不禁愣愣地想著：藤川游泳嗎？

依現場鑑定的結果，可以確定藤川與犯人認識。室內沒有打鬥的痕跡，藤川是從背後遭到毆打，調查人員大都認爲他疏於警戒。凶器是掉落在現場的四公斤重鐵製啞鈴，已確認是藤川的所有物，因此警方推測犯人是一時衝動下的手。

儘管如此，犯人事後的處理卻非常冷靜。除了擦拭各處的指紋外，或許擔心毛髮掉落，連地都掃過一遍。然後，爲了延遲屍體腐敗而被發現的時間，還打開冷氣。但從結局來看，這反倒讓屍體提早被發現，相當諷刺。

草薙小便完洗手時，注意到腳邊掉了張小紙片。他彎腰撿起，發現是咖啡廳的收據，不免一陣失望。他原先期待會是破案的線索，且收據上的日期也比案發時間早了許多。

他正打算將收據放在洗臉台上時，目光突然被上面印的咖啡店地址吸引，停下動作。

這家店在湘南海岸附近，草薙剛好有親戚住在那邊，對那一帶的地名非常熟悉。

他往下看，日期是——

沒錯，是爆炸事件發生的那一天。

五

長江秀樹聽到客人上門的聲音，卻沒從體育報紙中抬起頭，反正他們一定只是隨便看看。店裡賣的又不是什麼值錢貨，不必擔心順手牽羊的問題。就算眞的遭竊，也不是自己的東西，頂多被店主冷言冷語一番。

「WAVE」是家小土產店，賣一些便宜的太陽眼鏡、海灘球、海灘涼鞋等，前些日子還有大批一臉天眞的年輕男女在店裡逛。

然而這幾天眞是門可羅雀，遊客到海邊弄潮的季節已結束，理所當然地無人上門。儘管如此，店主依舊抱怨著「就算是換季，還是比往年早了十天」，以長江的經驗來看這的確也是事實。以往即使是這樣的時期，和馬路反向的海灘仍能看到三三兩兩的遊客，但今年卻是空無一人。

理由非常清楚，就是前些日子發生的爆炸事件。海中突然竄出一道火柱，正在海上享受日光浴的女性慘遭炸死，原因不明。在這種情況下，要是還有人想到海裡去就太奇怪了。長江在那之後也不再接近海灘，因爲傳出了那裡埋著地雷的謠言。

店主說「今年的生意已經不行了」，長江也有同感。

翻動體育報紙時，突然有人站在他面前，放了什麼東西在收銀台上，一看，原來是店內販賣的小鑰匙圈。

「歡迎光臨。」長江放下報紙，慌張地在收銀機打入價錢，鑰匙圈是四百五十日圓。

「好像很閒嘛。」客人邊付錢邊說道。

男人大約三十歲左右，高個子，戴著太陽眼鏡，穿著亞曼尼的開襟襯衫。光看那張幾乎沒曬黑的臉，便知道他大概不常來海邊。

「是啊。」長江將鑰匙圈放入袋內，和零錢一起遞給男人。

「果然是爆炸事件的影響嗎？」

「難道不是嗎？」長江粗魯地回答。又要講那件事了嗎？他心想。

「剛剛在前面的咖啡廳聽說，」客人以拇指比了比東邊，「那時你剛好在附近。」

長江抬起臉想看清男人的眼睛，卻因太陽眼鏡鏡片顏色太深而看不見，所以也無從掌握男人的表情。

「這位客人，您是警方的人嗎？」長江問道，爲了那個事件他已回答過很多次同樣的問題。

「不，我是從事這個的。」男人遞出名片。

看到名片上的頭銜，長江有點驚訝。

「沒想到物理老師會來這種地方。」

「我想請教一些事，方便耽誤一下嗎？」

「可以是可以，不過我的話大概無法供作參考，警方的人聽了都只是一臉不可思議。」

「你看到了不可思議的事嗎？」

「要說不可思議也挺不可思議的，突然在那種地方爆炸。」

「是什麼樣的爆炸？」

「怎麼說呢，就是海中忽然噴出強烈的火焰，水花甚至衝上幾十公尺，像什麼東西爆裂開來。」

「爆裂開來？」

「之後更不可思議，沒人相信我的話。」

「發生了什麼事？」

「細小的火球邊在海上滑行邊散開，彷彿有生命。」

「在海上滑行嗎……嗯。」男人將太陽眼鏡的中央往上推，「那和火花四散的狀況不一樣吧？」

「完全不一樣，甚至還有打轉著改變方向的火球呢。」

「顏色呢？」

「什麼？」

「我說顏色，火球是什麼顏色？」

「嗯，」長江想起當時的情景，「我記得是黃色……」

「原來如此。」男人點點頭，似乎很滿意長江的答案。「是黃色啊。」

「警察問我會不會是錯覺……」

「但那不是錯覺吧。」

「對，」長江點頭，「你不相信也沒關係啦。」

「不，我相信。」男人將裝著鑰匙圈的袋子放進口袋，「不好意思，工作中還打擾你。」

「這樣就可以了嗎？」

「嗯，這樣就行了。」男人走出店裡。

待會兒把這件事告訴其他人吧，長江目送男人的背影想著。如果跟大家說有物理學者從東京來訪，大家肯定都會嚇一跳……

六

梅里尚彥住在橫濱市神奈川區，從東急東橫線的東白樂站徒步約十分鐘。草薙從坡道很多、住宅密集的巷弄中找到了目的地，那是一棟貼著磚瓦風磁磚的大廈。

入口的門是自動上鎖的系統，草薙翻開記事本確認住址後，按下號碼「503」，沒多久就從對講機傳來「喂」的聲音。

「我是警察，可以請教你一些事嗎？」草薙向對講機說道。

「又要問？」對方似乎很不耐煩，想必神奈川縣警已詢問過非常多次了。

「抱歉，一下子就好。」

草薙說完後，沒聽到任何回應，接著一旁的門鎖開了。他腦中浮現一張不耐地咋舌的男人臉孔。

走到五〇三號室門口，草薙又按了一次門鈴。門開後，探出一張淺黑色面孔。

「不好意思打擾你休假。我問過你任職的公司，他們說你今天在家。」

「我頭痛請假。」梅里尚彥口氣不佳地說。他穿著T恤和汗衫。「沒什麼好說了。」

草薙出示警察手冊。

「我是東京那邊的人，因爲別起案件，有點事想請教。」

「別起案件？」梅里皺起眉頭。

「是的，我想說不定和你太太的事有關聯。」

梅里的表情出現微妙的變化，似乎是表示「如果能解開妻子不幸死亡的原因，和你談談也無妨」。

「細節請問負責我太太案件的人，我不想一直重複相同的話。」

「是，我已經問過了。」

草薙點頭說完後，梅里打開門，像是要他進去。

兩房一廳的居處看來還很新，但放置沙發的客廳及廚房都亂成一團，只有六張榻榻米大的和室收拾得很乾淨。那裡擺著小型的神主牌，線香的細煙緩緩上升。

草薙坐在沙發，梅里則坐在開放式廚房吧檯的椅子上。

「別的案件是指什麼？」梅里問。

草薙思考了一會兒後答道：「我們發現了一具男性屍體。」

「遭到殺害的嗎？」

「目前還無法斷定，不過應該沒錯。」

「那和律子的事有什麼關係？是同一個兇手嗎？」

「不是的。」草薙揮手否認。

「目前什麼都還不清楚，但有件事很令人在意。」草薙遞出一張照片，那是藤川的臉部特寫。「你見過這名男性嗎？」

梅里將照片拿在手裡，隨即搖頭。

「我沒見過，他是什麼人？」

「被發現的死者，名字是藤川雄一。沒聽你太太說過嗎？」

「藤川……我沒聽過。」

「那一天，」草薙吞了吞口水，「就是你太太去世當天，他似乎也去了那個海邊。」

「嗯……」梅里又看了一次照片。

草薙依著從藤川房裡找到的收據，查出了那間咖啡店的正確地址，果然不出所料，就在湘南

海岸附近。

「但是，」梅里應道：「單憑這個很難說兩者間有關係吧，尤其那天遊客很多。」

「不過，有一點不能視爲單純的偶然。」

「哪一點？」

「這個叫藤川的男人是帝都大學的畢業生，在兩年前畢業。」

「是嗎？」梅里的表情有點嚴肅。

「你太太到去年爲止都在帝都大學工作吧。」草薙說。

這是照會神奈川縣警後得到的情報，當時他直覺地認定兩起案件有關。

「是的，她是學生課職員。」

「我想藤川雄一在學的四年間，可能和你太太接觸過。」

聽了草薙的話，梅里抬起頭，眼睛也稍稍往上吊。

「你是指律子跟這男人有一腿嗎？」

「不、不，我不是那個意思。」草薙慌忙搖手。

「不能說是『接觸』，請讓我訂正爲『或許有某種關聯』。」

「到去年結婚爲止，我們交往了六年，我比誰都清楚律子的事，可是我從沒聽她提過藤川的名字。我不認識這個男人。」梅里將照片放到草薙面前。

「我明白了。那麼，如果在整理你太太的行李或書信時，發現藤川這個名字，可以麻煩你通知我嗎？」草薙把照片收進口袋，放了自己的名片在桌上。

「你是說情書之類的嗎？」梅里撇了撇嘴。

「我並沒有……」

「律子她啊，最討厭帝都大學的學生了，總是抱怨他們菁英意識過高、厚臉皮、自以爲是，卻又只會撒嬌，一發生什麼問題就向父母哭訴。只有身體長大，個性跟幼稚園小孩沒兩樣。」

「藤川可能也是那些幼稚園小孩之一。」

「或許吧。」之後梅里便閉口不語，像在思索些什麼，接著又抬起頭。

「只有兩件事我挺在意的，我也告訴過這邊的警察了。」

「什麼事？」

「那天前往海邊的途中，律子提了好幾次，後面一直有車跟著我們。」

「你們被跟蹤嗎？」

「我不知道。我只笑著說『不會有那種事吧』，並未特別在意。」

「你們要去海邊的事，是何時決定的？」

「我記得是兩天前。」

「要去海邊的事曾告訴什麼人嗎？」

「我沒有特地告訴誰，至於律子我就不曉得了。」

草薙心想，這麼說藤川一直在監視梅里夫妻嗎？那跟蹤的人也是藤川嘍，但……

「另一件事是什麼？」草薙問。

梅里猶豫了一會兒後，開口道：「爆炸之前，有個年輕男子靠近律子。」

「那人長相如何？」草薙準備好記事本和原子筆。

「對方戴著蛙鏡，加上距離很遠，我完全看不清他的長相。不過，」梅里舔了舔唇繼續道：「我覺得他和剛剛照片上的男人髮型很像，當然那男人也是短髮。」

草薙拿出照片再看一次。藤川雄一渾濁的雙眼，直直地回望著他。

七

和梅里尙彥見面的隔天，草薙再度前往帝都大學理工學院。他雖畢業於這所大學的社會學系，卻覺得自己如今更熟悉這棟完全不同領域的校舍。

走到建築物前，他望向一邊的停車場，停下腳步，因爲他看到了湯川學的身影。湯川正在一輛賓士旁又蹲又站。

「喂！」草薙出聲叫他。

湯川頓時嚇了一跳，見到聲音主人後露出了安心的表情。

「什麼，是草薙啊。」

「眞抱歉哪，是我這個無聊的對象。你在做什麼？」

「嗯，也沒什麼。」湯川站起身，「我在看橫森教授的車子。」

「哦，就是這輛啊。」草薙看著灰色的車身點頭。「的確是新車哪，閃閃發亮。」

「藤川問過橫森教授的車是哪輛，所以我來確認一下有無異狀。」

「原來如此。」草薙明白湯川想說的事，「可能被裝了炸彈。」

「我沒有特定的根據，不過既然聽到了那件事，就來看看。」

「你是說藤川或許是那起爆炸案嫌犯的事啊。」

草薙已告訴湯川，藤川雄一當天去了湘南海岸。

「在那之後有沒有進展？」

「我昨天見了被害者的丈夫，藤川果然涉嫌重大。」

草薙將從梅里尚彥那裡聽來的事大略地告訴湯川。

「問題是被害者和藤川的關係吧。」

「正是如此。對了，你調查那件事了嗎？」

「哪件事？」

「忘了嗎？我不是拜託你幫忙檢討，藤川的技術有沒有可能引發那樣的爆炸嗎？」

「啊，那件事啊。」湯川摸著下巴望向遠方，「抱歉，因爲很忙還沒處理，接下來我會仔細查查。」

「是嗎？抱歉，那就麻煩了。」草薙邊說邊覺得不太對勁，這個湯川會不看著對方的眼睛講話，實在很稀奇。

他望著湯川的側臉時，發現了異樣。

「你是不是曬黑了？看起來好像去了海邊。」

「咦？是嗎？」湯川摸著自己的臉頰，「不可能，是光線的關係吧。」

「是這樣嗎？」

「我才沒空跑到海邊。總之，我們進去裡面吧。」

這時，兩人背後響起了喇叭聲，回頭只見一輛深藍色的ＢＭＷ正要開進停車場。湯川微笑走近車子，ＢＭＷ在他的注視下停妥。從駕駛座走下一名矮小的初老男子，由於他抬頭挺胸，反而感覺很有氣勢。

「木島老師，國際會議如何？」湯川問。

「嗯，還不是跟以前一樣。不過很久沒和那些人見面，心情還不錯。」

「晚會後接著連續三天的會議，您辛苦了吧。」

「嗯，是啊，時間的確有點太長了，有必要稍微縮減流程。」

「木島老師不在，能源研究所那些傢伙好像很寂寞。」

湯川和木島往前走，草薙緊隨在後。

「反正他們一定覺得終於解脫了吧。不過居然還一直打電話給我，眞受不了。」

「有什麼急事嗎？」

「根本都是一些芝麻蒜皮的小事，淨問我天氣的狀況，說什麼我不熟悉當地，下雨天還是不要開車比較好。簡直把我當成糟老頭，太雞婆了。」

「誰打去的？」

「年輕人打來的，眞是傷腦筋哪。」嘴裡這麼講，木島還是顯得很愉快。

草薙以爲兩人會坐電梯，沒想到兩人二話不說便爬起樓梯。木島的腳步和他看似六十歲的外表完全相反，非常健朗。

湯川和草薙中途與木島道別，進了物理系第十三研究室。

「他是我們理工學院的老大喔。」湯川這麼說木島教授，「也有人稱他是量子力學的大老，現在是能源工學系的系主任。只要稍微有點上進心，學生都會想接受他的指導。」

「眞了不起。」

「最合適的比喻是，」湯川說，「理工學院的長嶋茂雄。」

「原來如此。」草薙笑著點頭，這樣的介紹確實簡單易懂。「不過他眞是受人愛戴，竟然還有人打電話提醒他雨天不要開車。」

「那個有點過分，到底是誰打去的呢？」

「這話似乎也有挖苦他『新買的車可千萬不要淋到雨』的意思。」

「嗯，是啊。」湯川點點頭，表情突然一變，看著室內一點，緊咬嘴唇。

「怎麼了？」看著友人不尋常的模樣，草薙心中一陣不安。

湯川直盯著他。

「該不會……」他喃喃自語後，轉身衝出房間。

「咦？喂，怎麼回事？」草薙也追了出去。

湯川跑過走廊，衝下樓梯。由於他平時就常打羽毛球鍛鍊身體，動作敏捷得不像學者，草薙反而比較喘。

出了建築物後，湯川跑向停車場，直衝剛才木島停著BMW的地方才停下腳步。

一會兒後，草薙渾身大汗趕到。

「究竟是怎麼回事啊？說明一下吧。」

湯川沒立刻回答，只蹲在車子旁邊，看著車體的底盤。

不久，他嘆了口氣，輕輕搖了搖頭。

「草薙，拜託你一件事。」

「什麼事？」

「立刻幫我請木島教授過來。」

「請教授過來？為什麼？」

「我之後再說明，總之現在一分一秒都不能浪費。」

「我知道了，教授的辦公室在哪裡？」

「四樓的東邊，你要小心，千萬不能讓人看見你帶教授來這裡。」

「不能讓人看見？」

「對。」湯川緊皺眉頭，「想解決案件，就照我的話做。」

八

隔天下午，草薙再度拜訪帝都大學。

昨晚，他逮捕了松田武久。

當松田闖入木島文夫位在成城住處的停車場，正要逃走時，被埋伏守候的警察逮住了。

當時松田拿著裝在塑膠袋中、剛好是手掌大小的金屬塊。就捕時，他對沒收金屬塊的警察說：「那東西絕對不能靠近水，不然你會後悔一輩子。」
或許是身爲科學研究者的良心促使他做出如此勸告的吧。
但實際上松田白擔心了，因爲那個金屬塊並非他所認爲的物體。在他遭到逮捕的兩小時前，湯川學便將金屬塊掉包了。
他潛入木島家停車場偷出的，只是經著色的黏土。
「松田招供殺了藤川。」草薙望著湯川的倦容說道，看來他心情不太好。「松田原以爲沒那麼容易被發現，但在木島教授家遇捕時似乎覺悟了。」
「可能覺得抵抗也沒用了吧。」
「大概吧。不過我還是有很多想不通的事，希望你能解釋。」
「好。」
湯川從椅子上起身，努了努下巴示意草薙到他那邊，草薙便走了過去。
桌上放著像是裝了水的糖果罐。
湯川從別桌取來一個油紙包。打開一看，裡頭是幾近挖耳杓大小的白色結晶。
「稍微走開點。」
湯川這麼一說，草薙往後退了幾步。
湯川靠近糖果罐，迅速將油紙包中的東西丟入，自己也快步離開桌旁。
糖果罐立刻起了反應，草薙才想著「罐裡噴出火焰了」，罐子隨即發出巨響彈跳起來。罐中的水飛散四處，幾滴還噴向草薙。

「好誇張。」草薙邊取出手帕邊說。

「威力驚人吧，只是些許分量反應就這麼激烈。」

「那是……」

「鈉。」湯川說道，「湘南爆炸事件的原因。」

「松田也這麼告訴我們，不過我還是沒搞懂。」草薙戰戰兢兢地窺看停止爆炸的罐子。「真沒想到威力這麼強大。說到底，就算告訴我是鈉，我也無法理解。不過我聽過氫氧化鈉、氯化鈉之類的。」

「鈉是金屬，但在自然界中無法以單獨的金屬狀態存續，必須以像你剛才提過的『某種化合物』的型態存在。好比我放到水中的鈉，與空氣接觸的部分已經氧化了。」

「沒想到居然有金屬爆炸這種事啊。」

「並非鈉本身爆炸，如同我說過的，鈉的反應性非常高。尤其一和水起作用，就會放熱變成氫氧化鈉，同時產生氫。氫和空氣混合後便引發了爆炸。」

「不是火柴和火藥，而是水和鈉啊。」

「爆炸後只會殘留氫氧化鈉，但它極易溶於水中，從湘南海中自然找不到任何爆炸物的痕跡。」

「不過根據剛剛的實驗，不是丟到水裡便會立刻爆炸嗎？那麼犯人藤川不就沒時間逃走？」

「問得好。其實若要利用鈉引爆，只需動個手腳就能達到計時器的效果，且同樣不會留下痕跡。」

「怎麼做？」

「只要將金屬鈉的表面部分變化爲碳酸鈉就行了。碳酸是安定的物質，沒有危險性，也很容易溶入水中。」

「然後呢？」

「放進水中後，因外表包覆著碳酸鈉，水和鈉不會起反應。但經過一段時間，碳酸鈉會逐漸溶化，只要裡頭的鈉接觸到水——」

「就會『砰』的一聲嗎？」草薙在面前張開手掌。

「藤川應該是偷偷帶著動了手腳的鈉接近梅里律子，潛伏在她身邊。但她一直趴在海灘墊上，可能用了某種方法將東西黏在那上面吧。」

草薙點頭，理工白癡如他，多少也聽懂了湯川的說明。不過犯人已死，眞相爲何也無從得證了。

「依松田的說法，鈉遭竊的時間果然是八月中藤川返校那時候。」

松田的研究是利用液態鈉進行熱交換，因此同研究室的畢業生藤川要偷出鈉並非難事。

「當時松田和藤川談了什麼？」湯川坐在桌緣，盯著空中喃喃道。

「藤川向松田抱怨，自學生時代進橫森教授的研究室、擔任松田的研究助理，到進入仁科工學技術，都不是他心中所願。尤其在仁科從事他完全沒興趣的工作，似乎是長期鬱結爆發的導火線。」

湯川緩緩搖頭。

「看來積怨甚深啊。」

「的確。老實說，我也還沒完全掌握事情的眞相。」草薙拿出記事本，希望湯川不單解釋藤川對鈉動了什麼手腳，也能給一些關於案件背景的建議。

據松田表示，藤川原想進木島教授的研究室，卻由於沒拿到某個重要學分而無法如願。那個學分是木島教授的課，也是三年級的必修課。

「藤川無法上那堂課，只因繳交給學生課的選課單上忘了塡。藤川發現時，已過了繳交期限，他慌忙到學生課希望修改選課單，但……」

「不讓他訂正吧。」湯川說，「聽學生說，我們學校的學生課對這點異常嚴格，我自己也有經驗。」

「當時讓藤川大大碰了釘子的是梅里律子。」

「原來如此。」湯川重重點頭。

「於是藤川直接去拜託木島教授，希望教授讓他上課。若是忘記繳交選課單，或是期限過後想變更，只要教授同意就可以。」

「嗯。那教授怎麼說？」

「他不答應。」草薙回道，「松田也不知道爲什麼。」

湯川偏著頭想了一下。

「我大概曉得是什麼理由。」

「什麼理由？」

「這等會兒再談。那藤川之後怎麼辦？」

「他無計可施，既沒能上到那門重要的課，也沒能進心心念念的木島研究室，最後只好進了橫森教授的研究室。」

「所以只能做不想做的研究，進不想進的公司，從事不想從事的工作，一切的一切都是那兩人的錯，是嗎？」

「對，那兩人，梅里律子和木島教授。」草薙抓了抓頭。

「但松田認爲一般人根本不可能考慮殺人，藤川大概是神經衰弱導致偏執吧。」

「松田？」湯川睜大雙眼，「他說藤川神經衰弱？」

「是啊。」

「嗯……」湯川望著天花板，像在思考什麼。

「有什麼問題嗎？」

「沒有。」湯川搖頭，「那他對殺害藤川的事情怎麼說？」

「松田聽到湘南的事件，從被害者姓名和爆炸狀況，馬上察覺犯人一定是藤川。當時檢查實驗室後，也發現鈉的數量減少了。」

松田立刻前往藤川位在三鷹的公寓，向他確認事情的眞僞。

藤川沒否認，坦承了自己的犯行，同時向松田表示不光梅里律子，他還要再殺一人，就是木島教授。

「接下來，松田的話就有點難懂了。」草薙皺著眉繼續道。

「因爲藤川說『這樣一來你們也完蛋了』，松田才一時衝動殺了他。但爲什麼會完蛋？爲什麼松田會氣到想殺人？我完全不懂，這部分松田解釋得含含糊糊的。」

「原來是這麼回事啊。」湯川起身，站到窗邊。

「你有什麼頭緒？」

「嗯，那也不是什麼難了解的事，還滿常見的。」

「快告訴我吧。」草薙重新面向他坐正。

湯川雙手環胸，站在窗前。由於逆光，很難看清他的表情。

「我從能源工學系的前身說起吧，過去那裡叫核能工學系。」

「哦，這樣嗎？」草薙覺得舊名字還比較容易懂。

「改名的理由是大眾對這個系的印象變差了。隨著改名，研究內容似乎也跟著稍微轉換了方向。不過當中也留下了以前的研究主題，松田的研究就是其中一種。所謂『使用液態鈉的熱交換技術』，講得極端點只有一個用途，你知道是什麼嗎？」

「不知道。」草薙原想回答：我怎麼可能知道？

「就是從燃燒鈽的核反應爐中取出熱能的技術。還記得幾年前曾發生核反應爐鈉外洩的意外嗎？」

「啊，」草薙點頭。「這我記得。這麼一來，輿論便認爲鈉有問題吧。」

「從那之後，政府不得不大幅修正鈽的利用計畫，加上各相關單位陸續爆出隱瞞意外事故等醜聞，使問題愈演愈烈，影響也擴及各層面。首先有所因應的是關聯企業。」湯川走了幾步，從書架上抽出類似公司簡介的資料。

「其實我問過仁科工學技術裡的朋友，不出所料，那家公司爲了迎接運用銪元素的時代到來，不斷研究以累積技術，今年起卻放棄了所有相關研究。看來藤川也是因此才調動單位。」

「這樣嗎？那我多少能理解藤川爲何會神經衰弱了。」

草薙想像著藤川的心情。雖並非出自眞心，卻是他的學術專攻，當他打算活用這些知識潛心研究時，又被剝奪了機會。或許他就是這樣失去了人生的方向。

「繼企業之後，緊接著受到『重新檢討核能發電計畫』牽連的是研究者。」湯川繼續道，「松田的研究也是預算檢討的對象。」

「原來如此。」

「松田恐怕也慌得不得了。如果在學校的研究主題遭排除，那麼長久以來的努力都將化爲烏有，升等也會更慢。」

聽了湯川的話，草薙想起松田仍只是助理教授。

「畢業生藤川是殺人犯，這樣的醜聞是決定性的打擊嗎？」

「比起那個，松田更在意藤川使用鈉行凶吧。這樣一來，輿論會批判鈉是危險物品，更別提還是從大學研究室偷取的……」

「這才是決定性的打擊嗎？」草薙嘆了口氣。

「我想松田也明白殺害藤川並不能解決問題，但他一定得想辦法處理眼前的男人。」湯川輕輕搖頭。「他說藤川神經衰弱，恐怕他自己也是如此。」

「可以這麼說。」草薙同意道，「松田似乎很怕下雨。」

「他原先不曉得藤川將鈉用在什麼地方吧？」

草薙點頭回應湯川的疑問。

「他看了那張停車場照片後，才察覺木島教授的車被動了手腳。但那時教授因國際會議去了大阪，他害怕萬一下雨促使鈉爆炸，不，該說是氫爆炸嗎？總之就大事不妙了，一直放心不下。」

「若他沒一點良心，我也不會注意到木島老師的車不對勁。」

湯川望向窗外。

「看了停車場的照片，我不斷思索藤川爲何盯上橫森老師的車。但事情並非這樣，他想藉由向學生打聽橫森老師的車，來確定新車中哪輛是木島老師的。要是直接詢問木島老師的車是哪輛，發生爆炸後，一定會被揪出來。」

藤川以瞬間接著劑將鈉黏在BMW的車體內側，湯川將之掉包，設計讓松田前來回收。

「再問一件事，」草薙對著物理學者的側臉說道，「你從什麼時候開始懷疑松田的？」

這個問題像刺激到了湯川心中某個部分，他的表情出現明顯的變化。

「從聽你說藤川可能與湘南的案件有關的時候吧，在那之前我便察覺到犯人可能是利用鈉作案。」

「但你卻沒告訴我，爲什麼？」

「嗯，」湯川歪著頭，「爲什麼呢？」

草薙正想說「你該不會要包庇他吧？」時，傳來了敲門聲。

湯川應了聲「請進」。

來者是木島教授，草薙不自覺地站起身。

「啊，這陣子眞是麻煩你了。」教授見到草薙，露出了笑容。

「不，我才麻煩教授了。」草薙點頭致意。爲了對松田設下陷阱，木島除了把車開回成城自宅外，也幫忙了許多事。

木島和湯川說了些事務性的話，正要離開房間時，草薙叫住了他。

草薙向回過頭的木島問：

「老師，爲什麼不讓藤川上您的課呢？」

老教授回望他，微笑道：

「你運動嗎？」

「我練柔道……」

「那麼你應該明白吧。」木島說道，「不論什麼理由，忘記報名的選手就不能出賽。此外，那種選手也不可能獲勝。學問也是一種戰鬥，不可以依賴別人。」

這麼回答後，教授又笑了下，便走出房間。

草薙愣在當場，轉頭看著湯川。

湯川微微一笑，透過窗戶望向天空。

「下雨了。」他說。

脫離

一

冷氣在最壞的時機故障了。梅雨季結束之後，已過一星期。最近這陣子白天氣溫都超過三十度，今天也是，聽說接下來會愈來愈熱。

上村宏左手拿著扇子，敲幾下鍵盤就搧一搧臉，再抓起一旁微髒的毛巾擦脖子上的汗。雖然窗戶全開，卻幾乎沒有一絲風吹進來。平常根本不在意電腦發出的熱氣，今天卻讓他煩躁不已。

去餐廳吧，上村邊揮著扇子邊盤算。除了兼工作場所的這個西式房間外，當作寢室的六張榻榻米大和室也裝有冷氣。要是打開和室的拉門，餐廳和廚房會涼快一些。

不過還是不行，他否定了剛才的想法。此時兒子忠廣正在和室睡覺，且不是普通的狀況。天生體弱多病的忠廣，即使小學二年級了，仍舊一感冒就很難康復。這次也是，他從四天前開始喊頭痛，接著便持續發燒，絲毫沒有好轉的跡象。儘管吃了藥後稍有好轉，到了晚上又發起燒來。昨晚也燒到將近三十九度，爲了照顧他，上村完全無法工作。

上村是自由作家，目前和四家出版社簽有合約，主要供稿給週刊雜誌。要不是其中一家的截稿時間迫在眉睫，必須在傍晚前整理好手機最新使用方法的採訪稿，此刻他也會守在兒子身旁。

房間太冷固然對身體不好，但若因暑熱而睡不好，也只是徒然消耗體力而已。所以，他想讓忠廣在冷氣開到適當溫度的房間裡安靜睡覺。

上村看了一眼桌上的時鐘，剛過下午兩點，離約定的交稿時間還有三小時。平常這個作業一點都不困難，可是要在這宛如蒸籠般的房間裡保持集中力，實在不容易。連窗外的噪音，聽來都比以往大聲。

他將毛巾掛上脖子、雙手放在鍵盤上時，玄關的電鈴響起。上村一臉厭煩地起身，從櫥櫃的抽屜裡取出錢包。他想一定是來收錢的。

不料門一開，卻是住在附近的竹田幸惠。幸惠是忠廣同班同學竹田亮太的母親。

「妳好，有什麼事嗎？」上村心想大概是來通知家長會的事情吧，便如此問道。

「還問什麼事，忠廣不是又感冒了嗎？」

「啊，」上村點頭，「反正是老樣子。」

「你怎麼這麼悠哉啊？有沒有好好照顧他？你沒因工作太忙，把他丟在一邊吧？」

「什麼丟在一邊，我讓他安靜睡覺了。」

「讓開。」幸惠脫下涼鞋，提著超市的袋子走進房裡。

「搞什麼，怎會這麼熱？你沒開冷氣嗎？」

「冷氣壞了，不過忠廣房裡的那台沒壞。」

幸惠沒聽完上村的話便打開和室拉門。

「忠廣，你沒事吧？舒服點了嗎？」聽到幸惠的話聲，忠廣似乎醒了。

上村也走進和室，冷氣吹出的涼風令他精神一振。他嘆口氣看著房內，忠廣睡在鋪好的床上。

「沒事了嗎？」他問兒子。

忠廣輕輕點頭，臉色比昨天好多了。

「肚子餓不餓？阿姨做些東西給你吃吧？」坐在床邊的幸惠問道。

「我好渴。」忠廣說。

「那削蘋果給你吃，阿姨幫你買來了。」她說完要起身時，拿起了床畔的素描簿，「咦，這是什麼啊？」

素描簿是上村爲了讓常臥病在床的忠廣排遣無聊而買的，枕旁也總是放著色鉛筆。

幸惠正在看的那頁上，畫著像灰色牆壁、中央紅色的四方形物體。就擅長繪畫的忠廣來說，看不出畫了什麼。

「這是什麼呢？」幸惠又問了一次。

忠廣搖著頭回答：「我不知道。」

「爲什麼？這不是你畫的嗎？」

「是我畫的，但我不知道自己畫了什麼。」

「什麼意思？」幸惠再次發問後，回頭望著上村。

「剛剛睡著的時候，突然覺得自己的身體浮起來了。」忠廣交互看著上村和幸惠繼續道，「我往窗外一看，就看見這個了，像到了很高的地方。」

「你說什麼？」

上村從幸惠手上奪過素描簿，凝視著那幅畫，然後視線移向窗外。

這個房間位在公寓二樓，窗戶正對面只能看見半弧形的食品工廠大門而已。

二

得知發現屍體的經過後，草薙頓時失去前往現場的動力，同事們當然也是一樣的想法。每個人都一臉「犯人老兄，拜託你也有點常識吧」的表情。

現場位於杉並區一棟六樓大廈的一間房內。這棟大廈專門租給單身者，除了最頂層有兩房一廳的住屋外，其餘都是套房或一房一廳的隔局。發現屍體的五〇三號室，打開大門後會先見到狹窄的走廊，盡頭並排著廚房、餐廳與西式房間。

死者倒在窄廊上，穿著黑T恤、棉製迷你裙，似乎沒化妝。她面朝下趴著，頭則朝向玄關。搜查員見狀，認爲死者可能想抓住離去的男人而遭殺害。雖然不是什麼了不起的推理，但草薙聽來也有同感。

死者的身分很快就查出來了，從房裡的手提包中找到駕駛執照，上面的照片和屍體是同一人，名叫長塚多惠子。警方也馬上確認她是這裡的住戶。根據出生日期，她上個月剛滿二十八歲。

最初發現不對勁的是住在隔壁、幾乎每天都會經過五〇三號室的粉領族。昨晚回家時，她聞到了一股噁心的臭味。她知道五〇三號的房客是女性，認爲這股臭味只是暫時的，便直接進了自己住處。但到了隔天早上，也就是今天早上，臭味愈來愈濃，她便在上班途中以手機通知管理大廈的不動產公司。這棟大廈平常沒有駐守的管理員。

接到聯絡的不動產公司，下午派負責管理的人員前往查看。出發前，管理人打了通電話到五〇三號室，然而長塚多惠子似乎不在家，轉爲電話錄音。

管理人推測長塚可能因旅行或某種原由長期離家，生鮮垃圾在這段時間腐壞了，這是夏天常有的事。所以，除了房間鑰匙外，憑長久累積的經驗，他還準備了垃圾袋。

不過，他根本不需要這兩樣東西，因爲五〇三號室的門沒鎖，發出腐臭味的也不是生鮮垃圾。

多虧他戴上口罩才打開門，否則可能會當場嘔吐，影響之後的調查。管理人跑到安全梯後，才把胃裡的東西吐出來。

這種情況之下，縱使是看慣屍體的搜查一課刑警，在現場蒐證時也非常痛苦。草薙盡量不靠近屍體，專注地搜索裡面的房間，即使如此還是持續聞到腐臭味，令他不時噁心想吐。

屍體的脖子殘留著勒痕，此外身上沒任何外傷。室內經過調查後也沒發現爭吵的跡象。

「兇手一定是男人。」戴著白手套，正在翻查房裡垃圾桶的刑警說：「男人來這裡打算跟女人談分手，但女人不肯，拚命求男人留下。然而，男人對這樣的女人已心生厭煩，且他有妻小，原本就只是想玩玩才交往，女人如此糾纏，他只覺得麻煩，所以對女人說：『煩死了，我跟妳已經玩完了。』可是女人也不光會哭而已：『哼！這麼想走，你就走吧，滾回你那個鬼老太婆般的妻子身邊吧。不過等著瞧，我會把你我之間的事，全向你妻子和公司抖出來！』男人一陣心慌，『喂！等一下，拜託妳千萬別這麼做！』『我才不管，我說要抖出來就是要抖出來！』女人歇斯底里、瀕臨瘋狂，一副隨時要打電話爆料的態勢，男人一時衝動便勒死了女人。反正應該就是這樣吧。」

這位大草薙一歲的刑警弓削，有像這樣一口吐盡心中想法的習慣，這也是他們同事間的消遣之一，就連討厭無聊玩笑的上司間宮，也是邊苦笑邊聽。

然而，他的話不全沒意義，通常獨居女性遭到殺害，警方大多先從死者的異性關係著手調查。草薙也是爲了確認有無特定男性的存在，而開始翻閱死者的書信文件。

草薙停下手，從信插中發現了一張保險業務員栗田信彥的名片。但引起草薙注意的，是名片空白處寫著「二十二日再來拜訪」。

「課長。」他向間宮遞上那張名片。

矮胖的間宮以肥短的手指捏著名片。

「嗯，保險業務員嗎？二十二日？」

「死者不是在二十二日左右遇害的嗎？」草薙說道。今天是二十五日。

「似乎有必要找他問問。」間宮說完，將名片還給草薙。

發現屍體的隔天傍晚，草薙和弓削一同拜訪栗田信彥的公司。他們之所以沒有立刻前往，是因調查後發現栗田寫在名片上的二十二日，具有相當重要的意義。

首先，二十二日早上被殺害的長塚多惠子和住附近的妹妹約在咖啡廳見面，商量要送退休的父親什麼禮物。妹妹流著淚說道：「雖然是筆多出來的開銷，但我們還是討論得很高興。」

當時姊妹倆吃了水果豆沙涼粉，妹妹表示兩人都喜歡那道甜點，一定不會記錯。

法醫解剖時，在長塚多惠子的胃裡發現可能是豆沙涼粉中的紅豆等材料。從消化狀況判斷，

她應該是在與妹妹分開後、下午一點起的三小時內身亡，推測犯罪時間是二十二日下午一點到四點之間。

長塚多惠子和妹妹在咖啡店分別之前，曾表示等一下會有人去找她。對方是否就是栗田信彥呢？

此外，長塚多惠子的同事也說了一件值得玩味的事。多惠子和栗田信彥是經由上司介紹認識的，但多惠子沒有和栗田交往的意思，所以相親沒成功。不過藉這個機緣，多惠子投保了栗田的公司，栗田似乎給了她很大的優惠。

多惠子的同事推測，可能是栗田不想放棄多惠子，才想盡辦法和多惠子保持聯繫。

栗田工作的營業所在九段下站旁，進了大門後有個櫃檯，一名年輕女性員工微笑招呼草薙及弓削。弓削沒報上身分，只表示有事想找栗田商量。女性員工不疑有他，請兩人稍待後便進去通知。

數分鐘之後，一個西裝筆挺的小個子男人，堆著營業用的笑臉出現了。三七分的髮型，似乎連眉毛也精心修整過，光滑的皮膚不知爲何令草薙聯想到剛洗完澡的畫面。

「呃，我是栗田。」栗田輪流看著草薙和弓削。草薙沒漏掉他那估量顧客斤兩的眼神，他雖然笑容滿面，卻明顯警戒著兩人。

弓削邊笑邊越過櫃檯靠近栗田的臉道：「我們是警察，有事想請教你。」

大概是天生膽小，栗田聽到這句話後臉色倏地刷白。

三人走出營業所，來到附近的咖啡廳。聽弓削說起命案，栗田驚訝地全身一陣抽搐。他表示完全不知情，希望兩人能告訴他詳情。看著他雙眼充血的模樣，草薙心想，如果這是演技，還眞是厲害。

「你最後一次見到長塚小姐是什麼時候？」弓削問。

「嗯……我記得是……」栗田拿出記事本，翻閱本子的手微微顫抖。

「二十一日，星期五傍晚。當天要辦汽車險的更新手續。」

「星期五長塚小姐要上班吧？」

「不，那天她休假。」

栗田說的是實話。長塚多惠子任職的化妝品公司，在七月二十日的海洋紀念日上班，二十一日休息，這樣五、六、日就可以放連假。不過栗田可能原本就知道這件事，不能單憑這點便相信他。

「眞的是二十一日嗎？不是二十二日？」弓削再次確認。

「二十一日沒錯。」栗田看著記事本答道。

「可以讓我看一下嗎？」

「喔，好啊。」栗田將記事本遞給弓削。

草薙從旁一看，發現七月二十二日的欄位寫著長塚多惠子的名字，又劃掉訂正爲二十一日。

草薙指出這點時，栗田不慌不忙地應道：

「原本我打算二十二日去的。最早其實約了十五日，但我十五日上門拜訪時她不在，便在她信箱中留下寫了二十二日再來的名片。之後，長塚小姐打電話給我，希望我二十一日去。」

這話聽來沒有矛盾，不過如果預料到刑警會找上門，事先準備好合理的說詞也不是什麼難事。

「根據這個行程表，」弓削開口道，「二十二日早上你沒事，請問你當時在哪裡？」

「二十二日嗎？」栗田手放嘴邊稍微想了下，「那天我去了狛江。」

「狛江？」

「嗯……」栗田頻頻摩擦臉頰，「前一天我喝了太多酒，非常不舒服，所以趁早上去客戶那邊的時候，把車停在多摩川附近休息了一陣子。」

「休息了多久？」弓削問，「幾點到幾點呢？」

「嗯，從中午過後大概睡了三小時左右。不過，這件事情可以拜託你們保密嗎？」

「好，當然沒問題。」弓削邊說邊看了草薙一眼。「很可疑」，他的表情這麼說著。

「你那天開的是公司車嗎？」草薙問。

「不，是我自己的車。」

「方便請教車種和顏色嗎？」

「紅色的MINI COOPER……」

「哦，眞是時髦的車子。那等會兒麻煩讓我們看一下。」

「可以是可以……」栗田答道，黑色雙瞳不安似地游移著。

隔天，警方對栗田提出了自行到案的要求，因警方從附近居民那裡得到了重要證言。

那名女性經營的大阪燒店，位於長塚多惠子居住的大廈斜對面。她平日就相當不滿大廈住戶任意將車停在自己店面附近。二十一日、二十二日兩天，她連續目擊到同樣的車停在路上。她原想等車主出現時向對方抱怨，但在她忙著生意時，車子不見了。

當被問到是什麼樣的車時，那個四十八歲的女性自信滿滿地回答：「我不知道那種車叫什麼，不過那是輛小車，形狀很像以前的老車。」

調查人員讓她看了多種車子的照片，她毫不猶豫地選了MINI COOPER，還斬釘截鐵地說是紅色的。

警方對栗田反覆進行緊迫盯人的訊問，幾乎所有調查人員都認定他是犯人，肯定會在偵訊過程中露餡。

但栗田完全不承認犯行，雖然他在刑警的攻勢下都快哭了，卻仍矢口否認，自始至終堅持自己對草薙和弓削說過的不在場證明。

草薙等人不得已，只好前往狛江進行訪查。倘若栗田真將車停在河邊休息，一定會有目擊者才對，而要是找到證人，便得重新檢視整個案子。

「唉，反正是徒勞無功。」弓削說道。

這位前輩的判斷是正確的，他們花了兩天時間走遍栗田所說的停車地區，沒找到任何曾看到MINI COOPER的人。那個地方隔著河與食品工廠遙遙相對，不論從哪個方向看過去都是死角。

「栗田果然說謊，就是他幹的」的氣氛再次瀰漫專案小組之際，一封信寄到了專案小組所在

的杉並警察署，寄件人是一名住在狛江的男子。

信上的內容令專案小組震驚無比，陷入混亂。

三

湯川學在怎麼看都像從學生餐廳偷拿的塑膠托盤上注入清潔劑，將吸管前端置入、輕輕一吹，便吹出了肥皂泡泡。

接著，他從白衣口袋掏出某種物體，形狀類似好幾枚重疊在一起的金屬硬幣。

「這是釹磁鐵。」湯川將磁鐵靠近肥皂泡。

肥皂泡在托盤上滑動，逐漸靠近磁鐵。湯川一移動磁鐵，泡泡便緊跟在後。

「哇！」草薙發出驚歎。「這是怎麼回事？明明不是金屬，卻受磁鐵吸引。」

「你覺得呢？」湯川把磁鐵收回口袋後問道。這位物理學者像這樣捉弄理工白癡的好友，已成爲兩人相處時的慣例了。

「反正你一定在清潔劑裡動了手腳吧？放進金屬粉末之類的。」

「如果混了金屬粉末，」湯川說，「大概就吹不出肥皂泡了。」

「那麼就是混了其他東西。難道有什麼會產生附隨磁鐵效用的藥劑嗎？」

「我什麼都沒加，那只是普通清潔劑。」

「普通清潔劑對磁鐵會有這樣的反應嗎？」

「理論上不可能，不過這種情況不同。」湯川邊說邊走近流理台，從洗碗槽拿出兩個馬克杯。草薙心想「又是即溶咖啡」，不覺一陣掃興。

「那究竟是怎麼回事？別裝模作樣了，快告訴我。」

「受磁鐵吸引的，」湯川將咖啡粉倒入馬克杯後，回頭說道，「不是清潔劑，而是其中的空氣。」

「空氣？」

「正確地說，是空氣裡的氧氣。一般而言，氧氣的順磁性較強。所謂的順磁性是指受磁鐵吸引的特性。」

「這樣啊……」草薙看著托盤中尚未破掉的泡泡。

「傷腦筋，人們總有先入爲主的觀念。明知肥皀泡中有空氣，卻因看不見便忘了它的存在。如果以這種態度生活，還能不漏看人生中的許多事情，那眞是萬幸。」

湯川把熱水瓶的熱水注入馬克杯，輕輕攪拌後將其中一杯遞給草薙。

「你好像在暗指我的人生總是漏東漏西啊。」

「嗯，不過這也是人性，沒什麼不好。」湯川很美味似地啜了口即溶咖啡。

「那麼，接下來呢？」

「我說到哪裡了？」

「你說到靈魂出竅。寄到專案小組的信上寫著，發生了小孩靈魂出竅的事。」

「正是如此。」草薙也喝了口咖啡。

寄件人名爲上村宏，開場白是「關於杉並發生的殺人案件，有件事無論如何必須告訴警方，於是提筆寫了這封信」。說是提筆，其實是電腦打字。

上村首先強調他本人和案件完全無關，接著寫道，有關調查人員這幾天四處訪查的紅色車子，自己的兒子極可能是重要證人。

簡單來說，他的兒子忠廣在七月二十二日白天，曾看見附近河邊停著一部紅色MINI COOPER。信上甚至連時間是下午兩點都寫得一清二楚。

事情若到此爲止，確實是有用的情報，調查人員也會立刻前往問話，然而事情沒那麼單純。

「但是，」信上這麼寫著，「我兒子並非以一般的方法目擊到車子，似乎是發燒臥床時靈魂出竅，從稍微離開我們家的地方看見的。」

調查員念到這裡時，專案小組所有人都一陣錯愕，接著有人驚喊、有人失笑，不久便轉而忿忿地想：「我們如此認眞地看待這封信，卻只是惡作劇嗎？」。

不過信上也寫著令人無法漠視的事：那名少年靈魂出竅後，清楚地畫下了紅色MINI COOPER。上村也隨信附上一張那幅畫的立可拍照片。

「那信上寫有電話號碼，所以我試著打了通電話。原本我猜想他會不會是頭腦有問題，但依我和他交談的感覺，這個叫上村的男人說話相當有條理。他表示雖然誠心誠意地寫了這封信，卻擔心會被誤解爲惡質玩笑，因此很高興能接到我的電話。他語氣有禮，我對他印象還不差。」

「你們談了些什麼？」湯川問。

「先確認他眞的寫了那封信，不過目的是要確認他的心態是否認眞。上村發誓信上一切都是事實，要我相信他，口氣聽起來頗像一回事。」

「如果逼眞就能解決所有事情，那你們的工作便輕鬆多了，不是嗎？」湯川隨即諷刺地回應，嘴邊浮現意有所指的微笑。

草薙生起氣來。

「我當然不會就這樣相信他，只是告訴你關於上村的情報而已。」

「『聽起來很有道理』或『看上去是認眞的』之類的講法，根本都是無用的情報。」湯川拿著馬克杯在椅子上坐下。「這種情況需要的是證據。有出事當天少年靈魂出竅的證據嗎？」

「你這說法似乎是指『反正絕對沒那種事』。」

「科學家任何時候都不會目空一切，如果眞有那種事，就讓我開開眼界吧。話講在前頭，單憑那張畫根本構不成證據，那也可能是他聽到你們在查訪的風聲後才畫下的。」

草薙「哼」了一聲，坐上附近的桌面。

「我就知道你會這麼說。」

「哦，」湯川抬頭看著草薙，「那麼，有更具說服力的證據囉？」

「算是吧。」草薙說。

「上村在兒子靈魂出竅當天，將那張奇怪的畫拿給認識的雜誌編輯看，希望對方能刊登這件事。剛忘了說，上村是自由作家。」

「靈魂出竅的那天是七月二十二日嗎？」

「沒錯，就是長塚多惠子在杉並遇害的那天。當時上村還不曉得發生了這起命案，自然也無從預測那張畫是否具有重要意義。」

草薙彷彿看見友人深藏黑框眼鏡後的雙眸發出了些許光芒，湯川似乎終於有點興趣了。

「如何？」草薙說，「這是很像樣的證據吧？」

湯川沒回答，只是花了很長的時間，啜飲馬克杯中一點都不好喝的咖啡，一直望著窗外。

「你去找那位伽利略老師商量。」股長間宮這麼建議。草薙有位當物理系副教授的好友，遇上不可思議的案件，他就會給予寶貴的建議，這事在草薙隸屬的單位非常有名。

事實上，專案小組爲如何處理上村的信傷透了腦筋。情報本身雖然非常重要，來源卻大有問題，無法當成正式情報採用，又沒人敢決定乾脆無視它。

上村是自由作家，這也是令警方頭痛的原因之一。就調查單位的立場來說，他們一點也不想讓這個消息上報。

「根據雷恩·皮克奈特（Lynn Picknett）的著作，」湯川把馬克杯放到桌上，說道：「在十或二十人中，便有一人曾靈魂出竅：身體飄浮向上，聽見他人的說話聲，看到完全陌生的遠方土地及景色。尤其是景色部分，經事後詳細調查，幾乎所有個案描述的細部都和當地狀況完全一致，這稱爲遠距離透視。曾有兩位英國學者做了遠距離透視的測試，得出『意識能以某種形式脫離肉體，獲取他處訊息』的結論。」

說到這裡，湯川看著草薙微笑道：「這名少年或許也是這種情況吧。這麼一來，靈魂出竅也好，遠距離透視也罷，都可以協助警方調查案件了。」

「你居然說這種話？」草薙皺著眉頭，「別開玩笑了，眞是如此，我連報告都做不成。」

「有什麼關係？就照實寫啊，肯定會令人耳目一新。」

「講得一副事不關己的樣子。」草薙拚命抓頭。

湯川低聲笑了起來。

「你不要那麼生氣。我提出那本書的內容，是因在這世上，曾吐露那些不可思議現象的人其實並不算少。別爲事情的特異性蒙蔽了，只要留意客觀事實，便會得到不同的答案。」

「你想說什麼？」

「聽了你的話，我想到兩個可能性，不過前提是上村和他兒子都沒撒謊。」湯川豎起兩根指頭，「首先，是偶然的一致。少年做了類似靈魂出竅的夢，醒來後畫下那幅畫，湊巧與命案嫌犯的供詞吻合。」

「我們課長也這麼說。」

年輕的物理系副教授滿意地點頭。

「我以前就提過，貴課長的思考方式眞有邏輯。」

「他不過是有個頑固的腦袋而已。另一個可能性是？」

「少年的錯覺。」湯川回道，「少年確實看見了MINI COOPER，這當然是指清醒的時候，但並未留下特別地印象，就這麼忘了。然而，他卻在發燒到意識模糊之際想起了那個情景，於是把看見的時間和情景都弄混了。」

「你是說，他誤以爲自己睡著時靈魂跑出身體，而看見了那個景象嗎？」

「就是這樣。」湯川點頭。

草薙雙手交抱胸前沉吟著，的確有這種可能。

「要說夢的內容和嫌犯的供詞偶然一致，這可能性實在太低，更別提連車子是白色車頂、引擎蓋有白線都相符。在ROVER MINI車系中也僅MINI COOPER有這個特徵。」

「或許少年很懂車子。」

草薙搖頭否定了湯川的話。

「根據上村表示，少年完全不懂車子。」

「嗯……」

「問題在於第二種可能性。倘若少年真陷入那樣的錯覺，那他究竟是什麼時候看見了MINI COOPER？這關係到我們的偵查方向。」

「要查出這點應該不是難事吧？」湯川說道，「只要比對少年的畫和實際地形，便能推測少年從哪裡看到MINI COOPER，接著再釐清少年何時去了那個地方不就得了。」

「這樣啊。」草薙同意地點頭。

「那麼，加油嘍。有什麼進展請再告訴我，謝啦。」

「咦？你不一起來嗎？」

「要調查剛剛談到的事，你一個人就行了。」湯川皺起眉頭。

「你不也說了，這些假設的前提是上村和他兒子沒撒謊，換句話說，不能完全否定他們扯謊的可能性。所以我想在前往現場調查的時候，順便去見上村父子，但……」草薙起身，手搭在學者肩上。「你認爲我這個理工白癡有能耐識破兩人話中的眞假嗎？」

湯川一臉「受不了你」的表情，「眞想不到，你居然會爲這種事驕傲。」然後拿著馬克杯，從椅子上站了起來。

四

栗田信彥堅持自己七月二十二日下午人在狛江稍微靠近多摩川的地方。那裡有道整修好的堤防，車子能沿其中一段開到河岸，他就是將MINI COOPER停在那邊休息。

「那個栗田因爲蹺班，必須將車停在別人看不到的地方，沒想到現在竟成了禍根。」湯川站在空無一物的河邊說道。

「栗田不見得講了眞話。」草薙反駁。

「不過，就算他撒謊也掰得很好，不是嗎？因爲眞的有這個地方啊。」

「搞不好栗田常在這裡午睡，所以被問到不在場證明時，便立刻脫口而出。」

「這樣啊。」湯川點頭，直盯著草薙。「說的沒錯，沒想到你也說得出這麼有邏輯的話呢。」

「別把我當傻瓜，這對刑警來說是常識。」

「那眞是太失禮了。對了，那棟建築物是什麼？」湯川指著河川另一邊的黑色建築。

「嗯……那個是……」草薙展開放大的本地地圖。「食品公司的工廠。」

「從那工廠的角度應該最容易看見停在這邊的車子吧。」

「是啊。唉呀……」看著地圖的草薙發現了某件事。

「怎麼了?」

「我在找上村宏住的公寓，似乎是在那間工廠的對面。」

「對面?」湯川抬頭看向工廠。「那麼從公寓的窗戶就不可能看到這裡了。」

「總之我們去瞧瞧吧。」草薙說道。

草薙按下玄關的電鈴後，屋內傳來小跑步接近聲。不一會兒，門鎖開了，露出一張曬得黝黑的男人面孔。

「嗯，您是剛剛打電話給我的……」

「我是草薙。」他向對方點頭致意。

「啊，你好，我是上村。等你很久了。」男人爽朗笑道。草薙心想，這是當上刑警以來，第一次這麼受歡迎。

「你到的時間正好，今天早上電器行才來修好冷氣。這個壞掉的話，我根本無法工作。」

「來，請進、請進。」上村招呼草薙與湯川進屋。餐桌上收拾得乾乾淨淨，是臨時趕著整理好的嗎?上村請兩人坐下後，從冰箱中取出麥茶。

「請不用忙了。」草薙說道。

「家裡只有男人，很抱歉這麼髒亂。尤其最近被工作追著跑，根本沒時間打掃。」上村不甚熟練地將裝著麥茶的玻璃杯放在兩人面前。

「尊夫人呢？」

「我離婚三年了。」上村毫不猶豫地回答。草薙若無其事地環顧室內，不見任何裝飾品，而置物架之類的家具也都選用機能性高的產品。從擺放鐵櫃這點來看，比起餐廳更像辦公室。餐具架中的食器也少得可憐。

上村打開隔壁房間的拉門，往裡頭喊道：「警察先生來了，你過來這邊一下。」房內傳出聲音，一個穿短褲的少年走了出來。他不僅瘦，臉色也不好。少年望著草薙兩人，點頭打了招呼「你們好」。

上村向兩人介紹少年名叫忠廣。

「那麼，我們可以看看那張畫嗎？」草薙說。

「喔，好的。」上村走進另一間房，拿出一本素描簿，放在兩人面前。「就是這個。」

「抱歉。」湯川伸手拿取。

草薙從旁湊過去看，和照片上的是同一張畫。灰色背景，前面畫著白色道路和紅色車子。車子是雙車廂型、白色車頂、輪胎很小，確實很像MINI COOPER。

「不能說不像那堤防附近的景色，但也不能就這麼斷定。」湯川自言自語道，「只是畫了紅色車子而已。」

「他本人是想畫那個地方的。」上村似乎有點不滿地說著。

「還是有必要詢問本人。」湯川對草薙說道。草薙想起這男人討厭和小孩交談。

於是，草薙向低頭坐在一旁的忠廣問道：「你畫的是哪個地方呢？」

少年低著頭說了句什麼，但聲音太小聽不清楚。

「大聲一點，講清楚。」上村斥責他。

「河的……對面。」少年回答。

「河的對面？沒錯嗎？」

草薙這麼一問，少年輕輕點頭。

「那麼，是從這房間的哪個方位看到的？」草薙環顧四周。

「應該是那邊。」湯川指著和室說道。

「是的，請到這邊來。」上村站起身。

和室的裝潢也毫無情調，只有電視和組合式家具，窗邊鋪著一組棉被和床墊。

上村打開窗戶，眼前出現那家食品工廠。託它的福，看不到任何風景。

「我想你們也知道，工廠的另一邊是河川。」上村說道，「我兒子看見了河川對面的景色。你們不是在查二十二日當天，那裡究竟是否停著MINI COPPER嗎？」

「確實如此，但要說從這裡看見那道堤防，實在有點……」

「所以不是從這裡，我兒子是從更高的地方看到的。」上村看著忠廣說道，「把那時候的事告訴警察先生。」

經父親這麼指示，忠廣小聲地開口，從最近因爲感冒一步都沒踏出家門、二十二日也從早上就一直在睡覺說起，接著敘述關鍵情節。他說，睡著睡著突然感覺身體浮了起來，睜開眼睛卻發現自己已浮在空中，看得見遠方的景色。

「不知道他飄到多高的地方？」湯川在草薙耳邊低語，要草薙問這件事。

「你飄得多高呢？到天花板嗎？」

「嗯……」忠廣猶疑不定。

「好好講清楚。」上村從旁插話：「若是眞的，只要老實講出來就行了。你從窗戶飛出去了吧？」

「咦？從窗戶？」草薙驚訝地看著少年，「眞的嗎？」

「嗯……」忠廣搔著肚子附近應道，「我身體輕輕浮起，接著飄到窗外，一直飄到高過外面的工廠，就看見了那條河。」

「然後呢？」草薙問。

「我才想著『好奇怪喔』，身體又下降回房裡了。等我注意到時，已經躺在被窩裡睡覺了。因爲素描簿就在旁邊，我便在上面畫了看到的景色。」

「那大約是下午兩點左右。」上村插嘴：「絕對沒錯。因爲那時剛好鄰居一位叫竹田的女性來這裡，並和我一起看了那幅畫，你們可以向她確認。」

草薙點頭，望向窗外。這件事令人難以置信，然而少年的畫確實存在。

「有必要與那家工廠進行確認。」湯川看著食品工廠說，「正面看得見大門吧？搬運大型設備時應該會打開。最好調查一下七月二十二日下午，那扇大門有沒有開啓過。」

「開了又怎樣？」

「我們剛剛從堤防那邊勘查過，工廠面對河川的那側也設有大門。換句話說，如果兩扇門同

時打開便形同隧道，也就能從這邊看到對面。」

「啊，原來如此。好，我會盡快確認。」草薙將湯川的話寫在記事本上。

「等等。」上村以稍微強烈的口吻說：「難道你們認爲，我兒子錯把工廠大門打開時偶然看到的景象，當成了靈魂出竅時所見？」

「這是其中一種可能。」

上村搖頭否定湯川的話。

「不可能。聽好，MINI COOPER的停放地比工廠所在低很多。即使工廠大門眞打開了，從這個窗戶能看見的位置也比堤防高不了多少。如果對這點有所懷疑，要測量或怎樣都悉聽尊便。」上村大大揮動雙手，明顯表露出他的煩躁。

「沒錯，的確該做個簡單的測量。」湯川乾脆地說。這男人的特點，就是即使對手變得情緒化，也絕不會自亂陣腳。

上村走進餐廳，拿來剛才看過的畫。

「請看這幅畫。白色車頂描繪得非常清楚，這不證明了是從高處俯瞰嗎？」

湯川看著素描簿陷入沉默。此刻，湯川腦中正迅速組織能合理解釋此一現象的幾個假說吧，草薙暗暗如此祈禱。

此時，房間某處電話鈴響。「抱歉。」上村說著走出房間。

「怎麼樣？湯川，」草薙壓低話聲，「解決得了嗎？」

湯川沒回答，反而對縮在角落的忠廣問道：「你以前發生過這樣的事情嗎？」

討厭孩子的湯川竟然主動向忠廣攀談，可眞是稀奇。忠廣輕輕搖了搖頭，像害怕什麼似地，追在爸爸身後離開了。

「對，警方的人在我這邊，似乎很關心這件事。……當然，只要肯提供欄位，寫多少都行。我已經整理成日記形式了。」上村的話聲傳來。「至於杉並的情報要請你們……是的，麻煩了。然後，能介紹懂這些的人給我嗎？像超自然現象研究者之類的，總之就是這方面的專家。……啊啊，那正好，一切拜託了。……好……好，我知道了。」

上村結束通話回到原處，草薙覺得他高興得快哼起歌來了。

「你要將這件事寫出來嗎？」草薙問道。

「文章會登在和我有工作往來的雜誌上。」上村應道，「啊，對了，你們去問那本雜誌的編輯就知道了，警方調查杉並事件前我就拿畫給他看過了。」

「先不說這個，上村先生，可以請你慢點公開這件事嗎？」

「哦，爲什麼呢？」

「你這麼問……」

「反正警方不會將我兒子的話納入偵查參考，不是嗎？你們來這邊，不也只爲了確認忠廣是否產生錯覺嗎？既然如此，我在哪裡發表什麼有何關係？還是你們要認眞看待我兒子的證言？如果是那樣，我可以再考慮一下。」

「不，這我無法決定，必須和我上司商量。」

「商量了也一樣，我早知道結果。」上村用力關上窗戶，交互看著草薙和湯川。

「還有什麼問題嗎？你們若是站在相信我兒子的立場，我會知無不言，但要是認為我們撒謊，就請回吧。」他雖臉帶笑容，眼中卻隱含挑戰的光芒。

「你剛提到當時有位女性在場，沒錯吧？」湯川問道，「我記得是叫竹田，可以告訴我她的聯絡方法嗎？」

「當然，她就住附近，你們現在便能過去找她，盡量問吧。」上村從一旁的架上取過便條紙和原子筆，畫起簡要地圖。

「眞傷腦筋，完全敗給他了。」出了上村的住處後，草薙一臉不滿地說。

「別在意。那男人早料到警方不會認眞看待這件事，他之所以還是寫信，只為了突顯警方也在關注這件事，這對他撰寫靈魂出竅的報導有錦上添花的作用。」湯川冷冷地說道。

「意思是我被利用了嗎？」

「老實說，就是這樣。」

草薙心情低落地走著。

「那……眞的有靈魂出竅這種事嗎？」

「不知道。在資料尚未收集齊全前，我不下結論。」

「資料收集完全了啊。從上村父子的房間看不到停MINI COOPER的地方，且上村忠廣最近也沒踏出房門半步。」

「得先確定那些資料究竟正不正確。」湯川停下腳步，以右手拇指比了比旁邊。

那是食品工廠。工廠四周被圍牆擋住了，不過有輛卡車從看似出入口的地方開出來。

「我們不是已經曉得，就算大門開著，從那房間也看不見堤防嗎？」

聽草薙這麼說，湯川輕輕嘆了口氣。「所以不需要整理情報了嗎？」

「知道啦，我去調查總行了吧？」草薙走向出入口。

他來到像是警衛室的地方，報出身分，表明希望見工廠負責人。一個年事已高的警衛慌張地打了通電話後問道：「請問有什麼事？」

「某個案件的調查。」草薙回答，「凶殺案。」

大概是「凶殺」這個字眼奏效，警衛原先微彎的背脊，一下子伸得挺直。

兩人在警衛室等了一會兒後，一名五十歲左右的胖男人現身，他自我介紹是廠長，姓中上。他頭上那頂灰帽子的邊緣，有汗水滲出的痕跡。

草薙問他，七月二十二日那天工廠大門是否全打開過。

面對這個疑問，中上皺起眉頭道：「爲什麼要問這種事？這和殺人案有關嗎？」

「這是調查機密。怎麼樣，到底有沒有打開？」

中上並未立刻回答，表情顯示他正思考著刑警眞正的意圖。不久他應道：

「沒有，沒打開。」

「眞的嗎？」

「是的，雖然外側的大門都開著，但內側的大門除了搬運特殊生產機器，平常不會打開。」中上的語氣相當沉著。

「是嗎？百忙中打擾，很抱歉。」草薙也向警衛道謝後離開了。

草薙走出門外，卻不見湯川蹤影。他沿圍牆走了幾步後，發現物理學者正在翻垃圾桶。正確來說，那並不是垃圾桶，而是食品工廠廢棄物的丟棄場所。

「你在做什麼？」草薙問他。

「我發現了有趣的東西。」湯川將手上的物品給草薙看。

他拿的運動鞋不知被什麼東西切斷，後半部不見了。

「這哪裡有趣？被切掉的地方嗎？」草薙問。

「仔細瞧，這不是被切斷，也不是被硬扯下來的，相當有意思。」湯川撿起掉在一旁的塑膠袋，放入那只壞掉的運動鞋。

「我們可不是爲了你的研究到這裡的。」草薙向前走，接下來還得去見竹田幸惠。

竹田幸惠在自家開設麵包店，店面雖小，但一到附近就會受香味吸引。幸惠和小她兩歲的妹妹一起製作與販賣，據說她丈夫五年前因意外去世了。

「那天的事我記得很清楚。不過，看到畫的時候，我並沒有那麼驚訝。雖然上村先生很興奮，但我想大概是忠廣睡糊塗了，而且那張畫畫得並不好。」

「可是，」幸惠繼續往下說，「到了隔週，有刑警來店裡問了奇怪的事情。」

對方問她二十二日在堤防附近有沒有看見紅色小車，車種是MINI COOPER，車頂是白色的。幸惠雖然回答不知道，卻想起了忠廣的那幅畫。那上面畫的不正是紅色的車嗎？她把那件事告訴了上村宏。

聽到這裡，草薙就明白事情的經過了。對想炒作兒子靈魂出竅的上村來說，這正是絕佳的機會，所以才會寫那封信吧。

「刑警先生，眞有靈魂從身體裡跑出去這種事嗎？」談話結束後，幸惠問道。

「嗯，這個嘛……」草薙不知該如何回答，便看了湯川一眼。但湯川似乎沒在聽，只隨意瀏覽著陳列在店頭的麵包。

「我不曉得到底有沒有那種事情，但我實在不喜歡上村先生爲此那麼起勁的模樣。因爲這種事出名，又能怎麼樣呢？」幸惠語氣有點沉重。

草薙心想，她對上村有好感嗎？就兩人的年齡來看說不定很適合。

這時，湯川從旁說道：「不好意思，請給我一個咖哩麵包。」

五

自發現屍體的那天起已過十天，栗田信彥依然否認犯案，而警方對於遲遲無法找到決定性的證據也很苦惱。

更糟的是，出現了幾項對栗田有利的證據，遺留在死者長塚多惠子房裡的男人痕跡便是其中之一。

鑑識人員在浴室的排水口，找到了某特定男性的毛髮，同時也在房間地毯、廁所的擦腳布上發現了相同毛髮。此外，抽屜裡還有個裝著安全剃刀、刮鬍膏及保險套的紙袋。

毛髮檢測出的血型爲A型，栗田卻是O型。

當然，栗田的嫌疑並不會因長塚多惠子有交往中的男友而減低，相反地，也可能是栗田知道

她有情人，出於嫉妒憤而行凶。

只不過，警方對摸不清男人底細這點一直難以釋懷。換句話說，多惠子向周遭親友們隱瞞了和那個男人的關係。而對方也基於某些原因，就算情人遇害也無法露面。

「絕對是婚外情，對方有老婆。」弓削刑警又如此大聲主張，這次沒人反駁他的意見。

警方若無其事、鉅細靡遺地調查了長塚多惠子周邊的人際關係，特別徹查了公司的男性職員，甚至暗中檢測了他們的毛髮，但沒人和多惠子房中的採樣一致。

專案小組幾乎束手無策時，又發生了極爲不快的事。某週刊刊載了上村忠廣靈魂出竅的報導，執筆者自然是上村宏。

「傷腦筋啊……」間宮看著週刊發出呻吟。草薙這時正在專案小組所在的杉並署會議室裡整理報告書。「當警察這麼久，第一次碰到這種事。」

「看了這本雜誌的市民，大概也會不滿地打電話來責罵警方，爲什麼不採信少年重要的證言吧。」弓削端著自動販賣機的咖啡苦笑道。

「眞麻煩。」間宮皺起眉頭。「課長又要生氣了。」

那個理性至上的課長現下在別的房間開會。

一名年輕刑警來報告上村父子在媒體上露臉了，弓削打開一旁的電視，八卦節目裡出現上村宏和忠廣的身影。

「根據我的調查，所謂的靈魂出竅，常發生於身受外傷時。」上村宏說著：「例如頭部遭到毆打。曾有體驗者表示，覺得身體突然浮了起來。」

「那應該是因爲挨打，頭腦錯亂了吧？」間宮喃喃自語。

上村繼續道：「此外，瀕死體驗者幾乎毫無例外地都有靈魂出竅的情形，也可說是爲了逃避肉體的疼痛，只有意識暫時脫離了身體。忠廣的狀況大概是想逃離高熱帶來的痛苦，才引發了這次的奇蹟吧。」

「那麼，上村先生認爲忠廣小朋友是靈魂出竅沒錯嘍？」主持人問道。

「或者該說『只能這麼認爲』。如果這個領域的研究再進步一點，就不會有警方不肯採信這難得的寶貴證言的蠢事了吧？」上村直盯著攝影鏡頭。

弓削苦笑著關掉電視，「他還說得眞高興。」

「草薙，伽利略老師那邊如何了？知道什麼了嗎？」間宮問道。

「我也不是很清楚，他應該會想辦法吧。」

「什麼啊，眞不可靠。」間宮搔著頭。

這時，兩名刑警滿身大汗地回來了。

「辛苦了，有什麼新發現嗎？」間宮問。

「關於MINI COOPER的事……」其中一名刑警回答。

「又是MINI COOPER嗎？」間宮滿臉厭煩地轉向草薙他們，「又怎麼了？」

「住在長塚多惠子大廈附近的男子，曾看見紅色MINI COOPER停在路上，可惜他不記得到底是二十一日還是二十二日。」

「那不就一點用處也沒有？」

「但他記得有個奇怪的男子在窺看那輛MINI COOPER。明明是夏天，那身材瘦長的中年男子卻還穿著全套西裝。」

「嗯……」

「外表不像栗田。」草薙說，「那會是誰呢？」

「或許只是一般的車子愛好者。」這是弓削的意見。

「目擊者說似乎並非如此。」前往查訪的刑警答道：「對方像在確定車主是什麼人。」

「那麼，應該是西裝男子認識的誰有同樣的車吧。畢竟不大可能這麼巧，認得栗田車子的人剛好經過那邊。」

大夥兒一起思考著弓削的話，他的推論相當有理。

「等等。」間宮開口，「如果那個西裝男子不是剛好經過那邊呢？」

「什麼意思？」弓削問道。

「也就是說，那男人原本打算造訪長塚多惠子，但到了附近卻發現有輛眼熟的車停在路旁。那若是栗田信彥的車，表示栗田在多惠子房裡。這樣一來，自己就不方便上門了，所以才想確認……」

「請等一下。」草薙插嘴，「果眞如此，那男人想必跟長塚多惠子及栗田信彥都很熟。」

「是的，沒有這種人嗎？」

大家默默地彼此互看，不久弓削喃喃道：

「是誰介紹那兩個人相親的……？」

幾秒鐘後，全員幾乎同時起身行動。

「原來如此，所以逮捕了被害者的前上司嗎？」聽完草薙的話，湯川點頭說道。

「那名叫吉岡的男人三年前辭去工作，和長塚多惠子在那之前就有往來了。雖然曾推測多惠子跟某人有外遇關係，但並未著手調查離職員工，這是我們的疏忽。吉岡和栗田則是透過保險熟識的。」草薙說完，喝光了咖啡。破了案，即使是即溶咖啡都好喝。刑警一追問，吉岡便很乾脆地坦承犯案了。

「這麼說，吉岡是介紹自己的情婦給栗田嘍？」

「沒錯。」

「眞是的，」湯川搖頭，「男人與女人之間的關係，還眞難以理解。」

「吉岡是爲了斷絕和多惠子的關係才這麼做，但多惠子完全不想分手。她之所以滿不在乎地去相親，大概是想藉此表明自己的感情不變吧。最近她開始暗示要將兩人的事告訴吉岡的太太，令他非常不安。」

吉岡辭掉工作後，妻子成了岳父母留下的租賃公司的重要幹部，如果讓妻子知道自己和多惠子的關係，一切就都完了。

二十一日，吉岡爲了說服多惠子而前往她居住的大廈，但看到栗田的MINI COOPER後，決定改天再來。隔天他先打了電話，才到多惠子住處請求分手。

然而，多惠子不肯，甚至揚言要立刻打電話給他太太。

「之後就是常有的事，等他清醒時，已經掐死她了。由於這並非計畫型的犯罪，我想應該可信。」

「那麼，二十二日那天路上停有MINI COOPER又是怎麼回事？那不是栗田的車嗎？」

湯川這麼一問，草薙一臉苦澀。

「關於這點，實在令人失望。二十一日那裡確實停著栗田的MINI COOPER，但二十二日停在同樣地方的卻是吉岡的車子，所以是賣大阪燒的老闆娘弄錯了。吉岡的車是紅色的沒錯，但車種是ＢＭＷ。爲什麼會誤認爲MINI COOPER呢？我完全無法理解。」

「人類的記憶就是這麼回事，人是會產生錯覺的動物，才會一天到晚發生怪力亂神的事。」

「聽你這麼說，表示解決那件事了吧，我今天便是爲此而來。」草薙食指指著湯川。

「既然已經破案，就不用管那件事了吧？」

「不行，在那之後還是有不少人來問一些怪問題，實在傷腦筋。搜查一課的人也一直要我拜託『伽利略』想辦法，煩死我了。」

「伽利略？」

「求你了，幫幫我吧。這一定難不倒你的，對吧？」草薙從椅子上站起，揮著拳頭。

湯川坐在椅子上，大大伸了個懶腰。

「能幫我調查一件事嗎？」湯川問道。

「調查？什麼事？」

湯川從白衣口袋取出某樣物品，仔細一看，原來是前些日子撿到的運動鞋殘骸。

「我希望你幫忙確認有關這重要樣品的證言是否屬實。」

「呃……」草薙將它拿在手中，不解地偏著頭。

這天晚上，草薙打電話到湯川房裡。

「果真如你所說，那家食品公司的廠長在我的逼問下，終於承認那天大門曾全開過。」

「我就知道。」湯川說，「而且也發生了意外，對吧。」

「沒錯。他一聽到我們已曉得意外的事，大概覺得無法再隱瞞，便全盤托出了。他希望我能幫忙保密，但我拒絕了，並告訴他會聯絡適當的單位。」

「那家公司也真倒楣，要是沒有牽扯上這起靈魂出竅的騷動，就能順利暗中處理掉這次的意外了。」

「我就是不懂這點，那間工廠的意外究竟和靈魂出竅有什麼關係？我想破頭也想不出個所以然。」草薙嘴上這麼說，其實根本什麼都沒想。即使試圖思考，也缺乏背景知識。

短暫的沉默之後，湯川開口。

「那麼我來說明原因吧，不過我需要觀眾。」

「觀眾？」

「是的，請一定要帶他們來。」湯川說。

六

破案後第三天，草薙坐在計程車的副駕駛座上前往帝都大學，後座則坐著上村父子。

「眞的一小時就夠了吧？今天有雜誌的採訪，四點前我們一定要趕到新宿。」上村宏毫不掩飾他的不滿。警方突然闖進家裡，強逼自己搭上計程車，不高興也是理所當然。

「應該很快就結束了，在我們抵達前便會準備妥善。」

「雖然不曉得你們想做什麼實驗，但我不可能改變想法。總之，那天忠廣確實看到了不可能看到的東西，何況那個嫌犯最終不也證實是清白的了嗎？」

「你說的沒錯。不過我們判定那個人無罪，是因爲找到了眞兇，而非他的不在場證明獲得證實。」

「都一樣。既然那人是清白的，代表他主張的不在場證明沒問題。也就是說，當天那個地方確實停著紅色MINI COOPER，然後忠廣從絕不可能看到的地方看到了。」

「所以我們接下來才要實驗，究竟有沒有可能發生那種事。」

上村宏不屑地悶哼一聲。

「我想最後一定是你們丟臉。話講在前頭，若實驗失敗，我會寫成報導的，請有所覺悟。」

「那當然。」草薙朝後座親切一笑後，面向前方，內心卻很害怕。他完全不清楚湯川有什麼打算。

抵達大學後，草薙帶著上村父子走向理工學院的物理系第十三研究室。

他敲了敲房門，聽見有人說「請進」後才開門。

「來得正巧，我剛準備好。」身穿白衣的湯川站在實驗桌旁。

「我帶兩人來了。」草薙說完後，看到流理台邊的竹田幸惠，不禁大吃一驚。

「竹田太太，妳爲什麼會在這裡？」上村問道。

「我接到湯川老師的電話，希望我幫他做個實驗。由於我也有興趣，便決定來幫忙。」

「你居然知道她的電話啊……？」草薙問湯川。

「這不難啊，我買咖哩麵包的袋子上印了她店裡的電話。」

「啊……」這麼簡單的答案讓草薙頓時洩了氣，不過他馬上察覺，當時這男人買咖哩麵包，是因爲已預測到今天的狀況。

「我不曉得你們想做什麼，不過請快開始吧，我們可是很忙的。」上村交互看著草薙和湯川說道。

「不會耽誤你太多時間的。對了，一根菸的時間就能解決。請問你有帶菸嗎？」湯川問上村。

「有，可以抽嗎？」

「平常禁菸，但今天例外，只是請在這裡抽。」湯川在實驗桌上放了玻璃菸灰缸。

「那麼，抱歉了。」上村從上衣口袋取出香菸，叼了一根點上火。

「我也可以抽嗎？」草薙拿出菸盒問道。

湯川有點不高興地撇著嘴，最後還是輕輕點頭。草薙道聲謝後，點燃香菸。

「這是什麼?」上村指著並排在實驗桌上的兩個水槽問道。那是兩個寬約五十公分的立體水槽，各裝了七分滿的水。

「別碰，現在水中保持著非常微妙的狀態，搖動會破壞平衡。」

草薙聽了，急忙縮回原要碰觸槽中水的手。

「你要用這水做什麼?」上村又問了一次。

湯川從白衣口袋取出某樣物品，那是開會時常用來指示幻燈片位置的雷射筆。

「上村先生，你提過即便那間食品工廠的大門全開，因角度的關係，從你家窗戶也不可能看見堤防，對吧?」

「沒錯，我這麼說過。」上村回答，露出了挑釁的眼神。

「我確認過那裡的地形，就算工廠大門全開，也不可能以直線連結你家和MINI COOPER的停放位置。所謂『無法以直線連結』，通常是指無法一眼看到，因為光線是直線進行的。」湯川打開雷射筆的電源。

「竹田太太，麻煩關掉房裡的燈。」

幸惠答聲「好」，按下牆上的開關。由於已拉上窗簾，室內一下子變暗，得以清楚看見雷射筆發出的光直往前射出。

這下草薙終於了解湯川答應他們抽菸的用意。以前湯川曾告訴他，空氣中有煙塵時，較容易看清雷射光。

「但是，」湯川將雷射光指向上村胸口：「如果光線彎曲的話會怎麼樣呢?那就可能看到原本看不到的東西了，不是嗎？」

「光線彎曲？」上村恍然大悟：「你是指鏡子嗎？對啊，有鏡子的話，便能藉反射看見東西了。不過那麼大的鏡子究竟在什麼地方？」

上村講到一半，湯川就開始搖頭。

「沒人在說鏡子的事，總之請別插話，仔細看吧。準備好了嗎？這兩個水槽中，左邊裝著普通的水，我現在要試著讓雷射光從中通過。」湯川緩緩將雷射筆指向左側水槽。忠廣「啊」了一聲，身材矮小的他剛好站在水槽旁。

雷射光通過水槽側面時稍稍往上折射，接著便筆直地在水中前進。

「說句題外話，我在水裡混了一點牛奶，這樣比較容易看見雷射光。」湯川說。

「光線轉彎了耶。」忠廣抬頭看著父親。

上村「呼」地吐了口氣。

「不是反射的話，就是折射囉？光線進入水中會產生折射，這小學自然課教過，但現場哪裡有巨大的水槽？」

「你眞的很性急耶。」湯川滿臉厭煩地說：「這時不需考慮光線進入水槽產生折射的問題，我希望你注意的是光線入水後就筆直往前的狀況。」

「這點我確認過了，是筆直前進沒錯。」

「那麼，我再試著讓光線通過另一個水槽。」湯川將雷射筆指向右側水槽。

這次草薙先「喔」了一聲，接著忠廣和幸惠也都驚訝出聲。上村則睜大雙眼，沉默不語。

進入水槽的光線並未直線前進，而是向下畫出了一道平緩的曲線。那情景確實只能以「彎曲」二字形容。

「這是怎麼回事？」草薙問。

「當然是我在水裡動了手腳。」湯川解釋：「其實這裡面是糖水，上層濃度較淡，愈往下愈濃。光線從濃度較淡的地方進入濃度較高的地方時會產生折射，且濃度愈高折射率愈大，所以光線斜下前進時，彎曲的幅度就更大。」

「原來是這麼回事啊。」草薙湊近水槽說：「我第一次看到這種情況。」

「你或許是初次見到這種情況，不過應該曉得和這原理相同的自然現象。」

「呃，是嗎？是什麼？」

「在那之前，」湯川走到牆邊開了燈。「可以先向上村先生說明那件意外嗎？」

「好，我知道了。」

「意外？」上村一臉茫然，「什麼意外？」

「那天，你家後面的食品工廠發生了一點意外。」草薙說道，「那間工廠為了冷凍食品使用大量的液態氮，但當天裝液態氮的桶子毀損導致液態氮流出，工廠內的部分地板便急速冷凍了。」

「這是那起意外的採樣。」湯川展示遭切成一半的運動鞋給眾人看。

「可能是急速冷凍後，受到什麼衝擊而被切斷了吧。再次融化後，就變成這樣了。」

看到壞掉的運動鞋，上村似乎也大受打擊。

「居然有這種事，但和剛剛的實驗有什麼關係呢？」

那也是草薙想知道的，他望著湯川。

「工廠的人對液態氮流出一事大感驚慌，立刻想到必須換氣，因此打開了大門。這麼一來會造成何種結果呢？夏天的熱空氣當然就流了進來，那一瞬間廠內空氣的下半部是冰冷的氮氣，上面則是熱空氣，形成了密度極爲不同的氣體層。」

湯川指著剛剛那裝著糖水的水槽。「雖然液體和氣體有別，但當時工廠裡的狀況，可說和這個水槽相同。」

「也就是說，當時雷射光通過的話，會像剛才那樣彎曲嗎？」

「是的。」湯川對草薙點點頭。

「變成那樣之後……又會如何？」

「當然，透過工廠就看不見對面原本位置的景象，而會看到更低處的景象，所以忠廣那時才會看見平常絕對看不到的堤防。」

「居然有這種事啊……不，原理我是懂了，但……」草薙低語。腦袋雖已理解了，卻想像不出畫面。

「我剛剛也提過，你應該曉得相同原理的自然現象。」湯川說道，「就是海市蜃樓。」

啊啊，草薙頷首。在一旁聽著的竹田幸惠也理解地點頭。

「不對，才不是什麼海市蜃樓。」上村像要切斷什麼似地揮了下右手。

「竹田太太也看見了吧？那時工廠的大門不是關著嗎？」

「我問過工廠，大門打開的時間非常短。」草薙說。

「不、不對！喂！忠廣，跟他們說清楚！你是浮在半空中看到那個景象的，對吧？」

然而，少年並未點頭附和父親的話。

「我沒有浮在半空中。」他邊哭邊說：「我只覺得身體輕飄飄而已，爸爸卻要我說浮在半空中……」

「忠廣！」上村歇斯底里地大喊。

這時，湯川走近忠廣，在他面前蹲下。

「老實告訴我們，你是怎麼看到那個景象的？不是因爲工廠大門打開才看到對面的嗎？」

湯川這麼一問，忠廣思考了一會兒後，十分困擾地回答：

「不曉得，說不定是那樣。我那時候頭昏昏的，搞不清楚。」

「是嗎？」湯川把手放在少年頭上，「既然如此就沒辦法了。」

「沒有證據能證明那是海市蜃樓，」上村說：「一切都只是推測。」

「沒錯，不過也無法證明他曾靈魂出竅。」

面對湯川的反駁，上村一時語塞。此時，竹田幸惠開口：「上村先生，別再這樣了。我其實全都知道。」

「都知道……什麼？」

「你在忠廣的畫上加工的事。我看到週刊上登的照片時嚇了一跳，因爲忠廣一開始的畫沒那麼清楚，根本看不出是紅色的車，既沒有白色車頂，也沒有輪胎。那全是你事後加上的吧？」

她的指謫似乎全是事實，只見上村苦悶地皺著臉。

「那是……爲了讓人好懂，我才這麼做。」

「你在說什麼？那就是作假啊，居然還逼忠廣配合你……」幸惠瞪著上村。

上村無法反駁，只能咬著嘴唇。不久，他像是決定了什麼，牽起忠廣的手。

「謝謝你讓我看這麼有趣的實驗，不過沒有決定性的證據，只能當作參考。我接下來還有行程，就此告辭了。」

「上村先生……」

幸惠出聲叫喚，但上村卻無視她，帶著兒子離開。

留在房間內的三人默默聽著腳步聲遠去。

「妳不去追他們嗎？」草薙問幸惠。

「但……」

「去吧。」湯川開口，「爲了那個孩子好。」

幸惠豁然開朗般地抬起頭，向兩人道謝後，很快走了出去。

草薙和湯川互望一眼，「呼」地吐了一大口氣。

「你和小孩還是能好好交談嘛。」草薙說。

不料，湯川捲起白衣袖子，只見手腕出現了紅斑。

「這是什麼？」草薙問。

「蕁麻疹。」湯川答道。

「什麼!?」

「因爲做了不習慣的事啊。」湯川唰地拉開窗簾。

（本文涉及謎底，未讀正文者愼入）

解說

科技，始終脫不開人性

紗卡

將科技引入推理小說，是豐富了推理小說，還是將推理小說劃入一道框限之中呢？

談到這個主題，我們就非提鑑識科學不可。有人說，鑑識科學的出現讓推理小說的許多詭計再也無用武之地，包括無頭屍、借屍還魂等傳統好戲，在DNA比對之下通通見光死。鑑識科學的確教育了讀者，同時也將推理小說的寫作難度提升到更高的層次。

然而，以理工背景出身並活躍於推理文壇的東野圭吾，不但完全跳脫這種限制，甚至利用各種尖端科技，爲推理小說打開了更寬廣的窗。諸如奇妙的隔空點火、能超距或定時引爆且不留痕跡的爆裂物、連警方都無法識破的引發心臟痲痺的神祕殺人凶器等，這些古典推理作家夢想中的謎團，原本由於「無法解釋」而不能當作推理小說的詭計，到了東野圭吾手中，卻能憑藉本身豐富的科學知識背景，將這些看似不可思議的詭計與謎團一一實現。

於是，犯人使用高科技犯案，警方也使用高科技偵察，如此一來，偵探又該擺在什麼位置呢？推理女王克莉絲蒂筆下的神探瑪波小姐有句名言：「無論在哪兒，人性大同小異。」偵探，該追查的就是人性，該關注的就是科技無法達成的手段，必須留意所有關於「人」的因素。

同一個指紋證據，經由偵探不同的詮釋，可入人於罪或昭雪沉冤。這不是證據各說各話，而是唯有偵探才知道如何傾聽證據訴說的眞話，也就是眞相。當所有刑事鑑識證據皆不利於無辜的被告時，昏庸之輩的信念會因此動搖，偵探卻曉得該尋找更多直接的關鍵性證物，才能勘破眞相，還人清白。光有科技是不夠的，追蹤人性的偵探始終是舉足輕重的角色。

《偵探伽利略》正是東野圭吾相當成功的創作嘗試。在這一系列的短篇裡，偵探的角色是物理學家湯川，他的同窗好友草薙擔任刑警。每當草薙遇上無法解釋的神祕案件時，都會到帝都大學尋求湯川的協助。當然，湯川從沒讓草薙失望過，而身爲讀者的我們，同樣也會對這些神祕案件的奇妙解釋，感到如癡如醉、目眩神迷。

〈燃燒〉發表的年代，電漿、雷射可能還只是研究室裡的產物或實驗的工具。時至今日，應用電漿發光性質製作的電漿電視已逐漸成爲市場主流產品，雷射在醫學或美容等日常生活範疇的運用更是司空見慣，這也顯現出東野圭吾運用科技爲寫作素材，天生便具有時代的挑戰性。稍有基本科學常識的讀者，應該不難猜出故事中引發火焰的機制爲何。

儘管如此，明白物理原理是一回事，理解人性恐怕又是另一回事。作者再度巧妙運用熟練的敘事手法，使案情在犯人的身分認定上有層漂亮的轉折。這個轉折也賦予這篇小說極佳的時代跨越性：縱使看得穿謎團，仍無可避免地落入作者的詭計之中。

〈轉印〉一篇的案件發生經過相當特殊，故事裡運用的「衝擊波」成形原理，老實說直至全篇閱畢，筆者仍半信半疑。這篇秉持著全書的風格：解開科技性質的謎團之餘，還隱藏著人性的詭詐。筆者在閱讀時，對作者的敘述已相當留心，甚至懷疑死者的身分及牙醫紀錄可能造假等，然而作者總能在關鍵處留下伏筆，這樣的轉折也是作者的特長之一。

本篇將湯川與草薙的相處情形描繪得活靈活現。尤其每讀到湯川嗜說「冷笑話」的段落，同為理工背景的筆者便不禁會心一笑，這可能也是部分理工人士生活過於枯燥而導致的另一種現象吧。

〈壞死〉一篇文風丕變。如果想分類，前兩篇可歸為本格派，本篇及下一篇〈爆炸〉則可歸為社會派。

故事中的凶器為工業用器具，使被害者表面上看似死於怪異的攻擊，警方因此將之視為神祕案件。事實上，以重工業器具殺人可說是殺雞用牛刀，但東野圭吾頗具巧思，選擇了能對人體造成類似心臟病發結果的凶器，很適合謎團的安排。

不過本篇並不要求讀者「猜兇手」，作者很快便揭露了犯人的身分。作者的重點，應該在於描寫拜金女為達目的不擇手段的心理，篇名「壞死」正好對應拜金女的墮落。在不必猜兇手的情況下，劇情能否吸引人便顯得非常重要。本篇的處理相當成功，讀者一定會想知道故事如何演變、兇手又會受到什麼樣的制裁，東野圭吾在故事節奏上控制得宜，即使兇手身分早已曝光，仍有其他要素牢牢抓住讀者目光，直到最後。

〈爆炸〉可視為本書的代表作。故事裡有兩件命案、兩個兇手，涉案三人以一種非常巧妙的方式連結。每個人的身分與處事角度不同，遇到壓力時的反應也不一樣，往往一念之間便種下了殺身之禍。

本篇除具有東野圭吾一貫的解謎元素外，對社會性主題的探討亦非常深入，且具有豐富的層次。第一個兇手的犯案動機固然有點流於意氣用事，然而迫使他犯罪的觸媒，仍然是整個社會環境。文中探討了生涯志業的問題，相當程度上也反應出現代職場激烈的競爭壓力。至於第二個兇手的犯案動機，更爲讀者揭露了學術研究的現實面，看似與世無爭的學術殿堂，事實上卻暗潮洶湧。研究人員不但必須與同領域的學者較勁，還得跟不同領域的研究人員競爭補助經費與研究資源。學者也是人，受到壓力時的反應其實跟一般凡夫俗子並沒有太大不同。大眾通常會以較高的道德標準看待專業學術人員，這是很不切實際的。

最後一篇〈脫離〉的題材相當有趣，探討了靈魂出竅的眞實性。很多時候科學與靈異似乎只有一線之隔，故事裡，湯川硬爲看似靈異的現象找到了合理的科學性解釋，由此可見作者科學涵養之深厚。充滿刺激的靈異事件極易引起讀者的好奇心，而對這些現象提出合理且不容置疑的科學驗證，通常能使讀者獲得更大的滿足。

値得一提的是，小說裡的那位父親，爲了私人目的僞造了部分證據，以符合自己提出的靈異現象。現實世界中這種心態也很常見，盲從、牽強附會往往是所謂靈異事件的背後緣由，只是在譁眾取寵的炒作心態之下，這些靈異事件通常不會經過太多科學檢驗，以訛傳訛加上繪聲繪影，更增添了幾分眞實性。然而，事實的眞相終究只有一個，當謊言揭穿時，人們才會發現一切不過是自欺欺人。

讀完全書，讀者想必跟我一樣意猶未盡，我們不妨一起期待東野圭吾未來繼續創作出更神奇、更神祕的「湯川學系列」吧。

（本文作者爲物理研究者及推理小說迷）

東野圭吾創作年表

一九八五年　《放學後》（第三十一屆江戶川亂步獎）

一九八六年　《畢業——雪月花殺人遊戲》★

《白馬山莊殺人事件》

一九八七年　《學生街的殺人》

《11文字的殺人》

一九八八年　《魔球》

《以眨眼乾杯》

《浪花少年偵探團》

一九八九年　《十字豪宅的小丑》

《沉睡的森林》★

《鳥人計畫》

《布魯塔斯的心臟——完全犯罪殺人接力》

《殺人現場在雲端》

一九九〇年　《宿命》★

《面具山莊殺人事件》
《偵探俱樂部》
《沒有犯人的殺人夜晚》
一九九一年　《變身》★
《迴廊亭殺人事件》
《天使之耳》
一九九二年　《雪地殺機》
《美麗的凶器》
一九九三年　《同班同學》
《分身》★
《向忍老師說再見——浪花少年偵探團・獨立篇》
一九九四年　《我以前死去的家》
《操縱彩虹的少年》
《怪人們》
一九九五年　《平行世界的愛情故事》
《天空之蜂》
《那個時候我們都是傻瓜》（散文集）
《怪笑小說》★
一九九六年　《誰殺了她》★

《惡意》★
《名偵探的守則》★
《名偵探的咒縛》★
《毒笑小說》★

一九九八年　《祕密》（第五十二屆日本推理作家協會獎、第一百二十屆直木獎入圍作）
《偵探伽利略》★

一九九九年　《我殺了他》★
《白夜行》★（第一百二十二屆直木獎入圍作）

二〇〇〇年　《再一個謊言》★
《預知夢》★

二〇〇一年　《單戀》★（第一百二十五屆直木獎入圍作）
《超・殺人事件》★

二〇〇二年　《湖邊凶殺案》★
《時生》★
《綁架遊戲》★

二〇〇三年　《信》★（第一百二十九屆直木獎入圍作）
《殺人之門》★
《我是非情勤》（註）

二〇〇四年　《幻夜》★（第一百三十一屆直木獎入圍作）

二〇〇五年
《挑戰？》（散文集）
《彷徨之刃》
《黑笑小說》★
《嫌疑犯X的獻身》★（第一百三十四屆直木獎、第六屆本格推理小說大獎）
二〇〇六年
《夢回杜林》（散文集）
《紅色手指》★
《使命與心的極限》★
二〇〇七年
《恐怕這是最後的隨筆》★
《在黎明的街道上》
《瀕死之眼》
二〇〇八年
《流星之絆》★
《伽利略的苦惱》★
《聖女的救贖》★
二〇〇九年
《悖論13》
《新參者》

★表示獨步已出版以及即將出版的作品，其餘的作品名稱為暫譯。

註：本書書名和「非常勤」（中文意為兼任）同音，是作者特別設定的雙關語趣味。

國家圖書館出版品預行編目資料

偵探伽利略／東野圭吾著；張麗嫺譯. -- 初版. - 台北市：獨步文化：家庭傳媒城邦分公司發行，2005〔民94〕
面；　公分. --（東野圭吾作品集；4）
譯自：偵探ガリレオ
ISBN 978-986-6954-32-0（平裝）

861.57　　95016985

東野圖吾作品集04 偵探伽利略

原著書名／偵探ガリレオ
原出版社／文芸春秋
作　　者／東野圭吾
翻　　譯／張麗嫺
責任編輯／楊詠婷・陳盈竹
總　經　理／陳逸瑛
榮譽社長／詹宏志
發　行　人／涂玉雲
出　　版／獨步文化
　城邦文化事業股份有限公司
　104台北市中山區民生東路二段141號5樓
　電話：(02) 2500-7696　傳真：(02) 2500-1967
發　　行／英屬蓋曼群島商家庭傳媒股份有限公司
　城邦分公司
　台北市中山區民生東路二段141號2樓
　讀者服務專線：(02) 2500-7718; 2500-7719
　24小時傳真服務：(02) 2500-1990; 2500-1991
　服務時間：週一至週五上午09：30-12：00; 下午13：30-17：00
　讀者服務信箱E-mail：service@readingclub.com.tw
劃撥帳號／19863813
戶　　名／書虫股份有限公司
香港發行所／城邦（香港）出版集團有限公司
　香港灣仔駱克道193號東超商業中心1樓
　電話：(852) 25086231　傳真：(852) 25789337
　E-mail: hkcite@biznetvigator.com
馬新發行所／城邦（馬新）出版集團【Cite (M) Sdn Bhd】
　41, Jalan Radin Anum, Bandar Baru Sri Petaling,
　57000 Kuala Lumpur, Malaysia.
　電話：(603) 90578822　傳真：(603) 90576622
　E-mail:cite@cite.com.my
美術設計／戴翊庭
排　　版／浩瀚電腦排版股份有限公司
印　　刷／中原造像股份有限公司
□2005年（民94）3月初版
□2017年（民106）3月15日三版三十三刷
售價／260元
Printed in Taiwan

 ISBN 978-986-6954-32-0